図解ポケット

最新生成AIで時間短縮!

Copilot（コパイロット）が
よくわかる本

KAI Yuichiro
甲斐雄一郎 著　MATSUMURA Yuta
松村 雄太 監

Shuwasystem
A book to explain
with figure
: Library

秀和システム

はじめに

本書『図解ポケット 最新生成AIで時間短縮！ Copilotがよくわかる本』は、Copilotについて、その機能や特長、ビジネスでの活用方法などを詳しく解説した書籍です。

近年、AIの急速な進化は目覚ましく、特に自然言語処理の分野では、生成AIと呼ばれる技術が大きな注目を集めています。生成AIは、膨大なデータを学習することで、人間のように自然で洗練された文章を生成できるのです。その代表格が、OpenAIが開発したGPT（Generative Pre-trained Transformer）シリーズです。

そして、GPTシリーズの最新モデルであるGPT-4の性能を最大限に活かし、Microsoftが開発したのが「Copilot」です。CopilotはGPT-4の驚異的な言語処理能力を継承しつつ、ビジネスシーンでの活用に特化したAIアシスタントとして設計されました。すでにWindows 11やMicrosoft 365に統合され始めており、幅広い用途で無料利用が可能なことが大きな特長です。企画書の作成から膨大な論文の要約まで、ビジネスの様々な場面でCopilotの活躍が大いに期待されているのです。

本書は、そんなCopilotの基本的な機能と活用方法を、初心者の方にもわかりやすく解説することを目的としています。本書では、特に無料版のCopilotに焦点を当てて、その豊富な機能を余すところなく紹介していきます。無料版だけでも、ビジネスの様々な場面で大いに役立つ機能が揃っているのです。例えば、企画書の作成や論文の要約など、これまで多大な時間と労力を要していた作業を大幅に効率化できます。

もちろん、より高度な機能を求めるユーザーには、有料版の「Copilot Pro」がおすすめです。Copilot Proでは、AI画像の高速生成やMicrosoft 365アプリとの連携など、無料版にはない機能が利用可能です。

　ただし、Copilot Proの機能の多くは、無料版でもある程度利用できます。そのため、本書では無料版を中心に解説を進めていきます。無料版を十分に活用することで、ビジネスの生産性を大きく向上させることが可能です。

　本書を通じて、読者の皆様にCopilotの基本的な機能と活用方法を理解していただき、日々の業務にすぐに役立てていただければ幸いです。Copilotを効果的に活用することで、ビジネスパーソンとしてのスキルアップと業務の効率化を同時に実現できるでしょう。

　本書の立ち位置は初心者向けの入門書ではありますが、本書をご一読いただいた後のあなたは、ご家族やお友達にCopilotを始めとする生成AIについて多少なりとも語れる人になっているのではないかと思います。そして、現在進行形のこの世界の変化に心躍るでしょう！

　それでは、Copilotの具体的な機能と活用方法について見ていきましょう。

甲斐雄一郎

図解ポケット
最新生成AIで時間短縮！
Copilotがよくわかる本

CONTENTS

1 Copilotとは？

2 Copilotに期待が高まる理由

3 Copilotの種類と特徴

④ MicrosoftとOpenAIが見据える未来

⑤ プロンプトを書くコツ

⑥ Copilotの活用アイデア基本編

CHAPTER 7 ビジネスにおけるCopilotの活用アイデア

CHAPTER 8 有料版 Copilot Pro のすすめ

Copilot とは？

　CopilotはMicrosoftが提供する生成AIであり、OpenAI
が開発した強力な言語モデル「GPT」を搭載しています。無
料版でも高度な機能を利用でき、Microsoft 365アプリとの
連携により、文書作成やデータの分析、プレゼンテーション
資料の作成などを支援します。ここでは、Copilotの概要と他
の生成AIとの違いを解説していきます。

Copilotの機能と概要

Copilotは、OpenAIの開発したAIモデルを活用したMicrosoft のサービスです。誰でも無料版Copilotを利用でき、Windows 11 ではOSに標準搭載されています。

1 Copilotとは

Copilotは日本語で訳すと「副操縦士」です。飛行機の操縦士は "あなた" で、その補佐役が「Copilot」です。そのため、Copilot を使用するあなたは、補佐役である「Copilot」へ適切な指示を与 える立場にあります。つまり、「Copilot」の間違いはあなたの責任 であり、「Copilot」の能力を十分に理解した上で、明確かつ適切な 指示を与える必要があります。

Copilotは **OpenAI** の開発した言語モデルを搭載し、Bing の検 索エンジンを活用することで最新の情報を反映した回答を素早く提 供します。これは後述する **Prometheus** と呼ばれる独自技術によっ て実現されています。

2 Microsoft 365との連携

Copilotは、Microsoft 365などのMicrosoft 製品との連携が 可能であり、その点が大きな特徴となっています。Copilotを活用 することで、PowerPointでは資料の構成から図解入りの資料作成 まで、一連の作業を自動化できます。また、Excelでは読み込んだデー タに対する分析をユーザーに提案し、グラフを作成します。Word では執筆中の原稿の続きを書いたり、途中を埋めたりしてくれます。 Copilotはこれらのアプリケーションに「基盤モデル」として埋め

込まれていきます。

そのため、従来の生成 AI のようにプロンプトをテキストで手入力する時代はもうすぐ終わるかもしれません。ビジネスパーソンにとって、Copilot は単なるツールではなく、仕事のパートナーとなる存在です。AI との対話を通じて、業務の効率化やクリエイティビティの向上を実現できるでしょう。Copilot の機能と可能性を理解し、活用することが、これからのビジネスを勝ち抜くカギとなるかもしれません。

FIGURE 1 Copilot の概要

ChatGPT との違い

ChatGPT と Copilot は、どちらも OpenAI が開発した大規模言語モデル「GPT＊」を活用した生成 AI です。ここでは、無料版の ChatGPT と Copilot を比較して解説します。

1 無料版に搭載されている言語モデルの違い

GPT の進化の変遷を見ると、2018年にリリースされた **GPT-1** から始まり、技術の進化とともに機能が拡張されてきました。特に、**GPT-3.5**は、2022年より一般公開され、高度な対話能力と幅広い応用可能性で世間から一気に注目を集めました。GPT-3.5は3,550億個の"パラメータ"を持ち、より自然で文脈に沿った対話を可能にしました。この"パラメータ"とは、モデルが学習する際の調整可能な変数のことで、"パラメータ"の数に比例して、より複雑で高度な処理が可能になります。前バージョンである **GPT-2**のパラメータ数は15億個のため、GPT-3.5は200倍を超えるパラメータ数を持っているのです。

2024年5月13日、言語モデル「**GPT-4o**」がリリースされ、無料版の ChatGPT でも Web ブラウジング機能が使えるようになりました。ただし、無料版は約10回の連続使用で一定時間の利用制限がかかり、その間は下位モデル「GPT-3.5」での回答になります。

一方、Copilot の無料版は、「**GPT-4 Turbo**」の前バージョンに留まっていますが、Microsoft アカウントにログインすれば、回数制限を気にせずに使うことができます。（2024年5月時点）

＊ GPT　Generative Pre-trained Transformer の略。

2 機能面での違い

　無料版の ChatGPT では、画像認識モデル **DALL-E** のような画像生成 AI は利用できず、文字数も日本語で約5,000文字が上限です。

　一方、Copilot は無料版であっても画像の生成が可能です。また、ノートブック機能を使えば18,000文字の長文入力にも対応しています。今後、ChatGPT が Copilot と差別化を図っていくのか、もしくは融合していくのか注目に値します。

FIGURE 2 GPT の進化の変遷（2023年8月時点）

2018年	GPT-1	パラメータ：1.2 億 文章の類似度を推測 クラスの予測が可能
2019 年	GPT-2	パラメータ：15 億 文章の生成などが 可能になる
2020 年	GPT-3	パラメータ：1750 億 言語タスクを高精度に 行うことが可能
2021 年	GPT-3.5	パラメータ：3350 億 このモデルを搭載した ChatGPT が誕生
2022 年	GPT-4	パラメータ：1.5 兆? 精度の向上に加え 画像データが入力可能

※パラメータ数は公式には開示されていませんが、およその数が上記のパラメータとなります。

Gemini との違い

GoogleのAIモデル「Gemini」は、従来「Bard」と呼ばれていた生成AIです。ここでは、生まれ変わった「Gemini」の特徴を解説します。

1 Gemini とは

Google が開発する **Gemini** は、Copilot と同様のサービスを展開しています。**LLM** [*] としての基本性能は GPT-3.5と互角ですが、GPT-4には及ばないといわれています。しかし、Google は検索エンジンにおいては世界一の利用数を誇るサービスであり、Google Map や Google Drive のような複数の人気アプリケーションと生成AI を連携して、Copilot にはできない応用サービスの展開を見据えています。

2 Gemini のバージョン比較

Gemini には Ultra、Pro、Nano の3つのバージョンがあり、それぞれ精度や用途が異なります。

● Gemini Ultra

Google の AI モデルの最上位版で、人間の専門家を上回る初のモデルと言われています。Copilot と同様、マルチモーダル機能を兼ね備えたモデルであり、Gemini Advanced に契約すると月額2,900円で「Gemini Ultra 1.0」が利用できます。（2024年4月時点）

---

[*] **LLM** Large Language Model の略。大規模言語モデル。

● Gemini Pro

2023年12月13日からAPIを通じて利用可能になり、開発者や企業が幅広いタスクに対応するアプリケーションを構築できます。

● Gemini Nano

最も効率的なモデルとされており、スマートフォンでの実行を想定して設計されています。

Copilot と Gemini の比較について、Copilot は主に Microsoft 製品との連携に重点を置いているのに対し、Gemini Pro は **Google AI Studio** や **Google Cloud Vertex AI** を通じて、より柔軟な利用環境を提供しています。

3 Gemini は Google 関連サービスとの連携が特徴

他の画像生成 AI との違い

画像生成AIの機能についてCopilotや他のサービスの特長をおさえておきましょう。

1 Microsoft Designer による画像生成

Copilot では、**Microsoft Designer** を利用してテキストから画像を生成できます。これは、OpenAI が開発した **DALL-E 3**モデルを採用しており、高品質な画像生成能力に優れています。作成した画像はダウンロードや共有が可能で、利便性が高いのが特長です。

2 他の画像生成 AI との比較

Stable Diffusion はオープンソースの画像生成 AI サービスで、拡張性に優れています。OpenAI の DALL-E や Leap Motion の **Midjourney** と並ぶ、世界的に注目される3大高性能エンジンの1つです。Stable Diffusion はブラウザから無料で利用できるため、手軽に画像生成を体験できます。

Midjourney は、美しいデザインを作り出すのが得意で、趣味やデジタルアートの制作に適しています。Midjourney が生み出す画像は、まるでプロのデジタルアーティストが手がけたかのような、芸術的で洗練されたものが多いのが特徴です。利用においては、Discord 上での操作が必須となっており、最も安価なベーシックプランでも月額10ドルかかることに注意が必要です。

　一方で、Adobe の **Firefly** は、生成した画像に著作権侵害の可能性がほぼないため、公開や商業利用する場合に重要な選択肢となります。Adobe の **Photoshop** の機能として呼び出すこともでき、高度な画像編集が可能です。

　目的や用途に応じて、Copilot や他の画像生成 AI を使い分けて、いろいろな画像の生成に挑戦してみましょう。

Microsoft Designer

Microsoft Designerの特徴
・テキストから画像を生成できる。
・DALL-E 3モデルを採用している。
・高品質な画像生成に優れている。
・ダウンロードや共有が可能。

その他の画像生成AIには、Stable Diffusionや Midjourney等高性能なものが多くあります。

今話題の新星「Claude」とは?

　近年、生成AI市場で圧倒的なシェアを誇るOpenAIのChatGPTに対抗する新たな選択肢として注目を集めているのが、Anthropic社の**Claude**です。Claudeの最大の特徴は、読み込める文字数の多さと、それを踏まえたアウトプットの質の高さにあります。ChatGPTでは文字数制限によって読み取れないことがある一方、有料版のClaudeでは、1回のメッセージ送信あたり10万文字を超えても読み取ることができます。この読み取り量の多さは、高品質なアウトプットにも直結しています。より多くの情報を取り込むことで、文脈に沿った適切な表現が可能になるのです。

　また、ClaudeにはOpus、Sonnet、Haikuの3つのモデルが用意されています。特に、有料版のOpusは高品質なアウトプットを生成し、扱えるトークン数は「GPT-4」を上回るといわれています。

　無料版のSonnetの場合は640トークンに限定され、Haikuは回答速度を重視しています。この3つのモデルを使い分けることで、ユーザーは目的に応じて最適なアウトプットを得られます。

　Anthropic社は、元OpenAIの幹部らが立ち上げたスタートアップです。OpenAIのAI開発方針に異を唱え、独自の道を歩んでいます。その創業経緯や、AmazonやGoogleから巨額の出資を受けていることも注目を集める要因となっています。

　Claudeは、OpenAIのGPT-4に近いパフォーマンスを発揮しつつ、コストを大幅に抑えられます。また、Amazon、Zoom、Notion、Quoraなどの人気サービスと提携しています。

　生成AI市場が激化する中、Claudeは企業にとって魅力的な選択肢の1つとなりつつあります。今後のさらなる進化に期待が高まるAnthropic社のClaude。ChatGPTに次ぐ存在として、その動向から目が離せません。

Copilotに
期待が高まる理由

　Copilotは、Bingを活用して最新情報をもとにした回答が
できる点や、多様なデバイスやOSに対応している点など、利
便性の高さによって注目を集めています。このCHAPTERで
は、こうしたCopilotの利便性の高さを中心に具体的な事例
を交えながら解説していきます。

強力な AI モデル

Copilotに搭載する言語モデル「GPT」は非常に強力なAIモデルです。

1 進化を続ける AI モデル

Copilot は言語モデル「GPT」を搭載しているので ChatGPT の特徴と重複する箇所はありますが、それも Copilot に期待が高まる理由の1つでもあるため、ここで取り上げています。

言語モデルの「GPT シリーズ」は、GPT-3から GPT-4へと進化を遂げるごとに、その能力は飛躍的に向上しています。GPT-4は、アイデア出しや文章の要約、概念の説明、ありふれた作業の自動化など、特にホワイトカラーの知識労働者にとって強力な支援ツールになっています。ChatGPT と同様に、Copilot も自然言語処理（NLP）の能力に優れており、人間とのスムーズなコミュニケーションを可能にします。

2 無視できない AI 開発に伴うリスク

一方で、AIの急速な進化に伴うリスクについても忘れてはなりません。OpenAI が自ら大規模言語モデルの使用に関して注意を促しているように、プライバシー侵害や人間を騙すような悪用、有害コンテンツの作成など、安全性に関する複数のリスクが存在します。また、イーロン・マスク氏をはじめとする著名な技術者たちは、AIの研究開発を一時停止するよう訴えています。AI ツールが社会と人類に深刻なリスクをもたらす可能性があると警鐘を鳴らしているの

です。生成 AI の過熱した開発競争が、制御不能な事態を招きかねないと指摘しています。

Copilot に搭載される GPT-4のような AI モデルの力を過信せず、倫理的で責任ある使い方を心がけることが重要です。AI によって創造性を刺激され、生産性を向上させつつも、それが本当に人類の幸福に繋がるのかを見極める賢明さが、これからの AI 時代を生き抜くカギとなるでしょう。

5 AI 開発に警鐘を鳴らすテクノロジー指導者たち

非営利団体「Future of Life Institute」公開書簡の概要
・OpenAIのGPT-4のようなAIシステムが、一般的なタスクにおいて人間並みの競争力を持つようになり、人類と社会に対する潜在的なリスクをもたらすと警告。
・AIを研究する組織に対して、新技術の危険性が適切に評価されるまで、GPT-4よりも強力な技術の開発を6か月間休止するよう求める。

イーロン・マスク、
スティーブ・ウォズニアック、
エヴァン・シャープらが
署名しました。

マルチモーダル機能

マルチモーダル機能は、テキスト、音声、画像・映像など様々な
データを組み合わせて判断する仕組みです。

1 マルチモーダル機能

Copilot は**マルチモーダル機能**を搭載しており、テキスト、音声、
画像・映像などのデータを高度なアルゴリズムと組み合わせ、予測
して結果を生成します。

LLM（大規模言語モデル）は、マルチモーダル AI モデルによっ
てテキストの枠を超え、ユーザーはテキスト、音声、画像・映像を
入力してコンテンツを生成できます。

例えば、写真をアップロードして、その写真に関する質問をする
場合、Copilot はその画像を解析し、関連する情報やコンテンツを
生成できます。これにより、ユーザーは写真を通じて Copilot に質
問でき、Copilot はそれに対する答えを提供することが可能です。

2 ユニバーサルデザインに対応

マルチモーダル機能は、**ユニバーサルデザイン**の観点からも非常
に有用です。異なる言語や文化のユーザーが、写真や音声、映像を
介して情報を得たり、ナビゲーションを受けたりできます。例えば、
海外観光客向けに、商品や日本語メニューを写真撮影するだけで母
国語に翻訳して説明したり、免税店の手続きをナビゲートしたりと、
テキスト、音声、画像・映像の複数 UI からユニバーサルデザイン
に対応します。

FIGURE 6 画像をアップロードすると、その画像を認識して質問に回答する

何でも聞いてください…

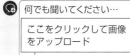
ここをクリックして画像をアップロード

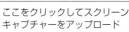
ここをクリックしてスクリーンキャプチャーをアップロード

0/2000

FIGURE 7 質問と回答イメージ

自分

このアイコンについて教えてください。

Copilot

✓画像を分析しています：プライバシーを保護するために顔がぼやける可能性があります。

■応答を停止して

このアイコンは、青から紫、ピンク、オレンジへと滑らかに色が変わるグラデーション効果が特徴的な、三次元的なねじれたループのデザインをしています。

画像の説明は、Copilot が提供する内部のツールを使用して生成されました。

詳細情報

1 ▶ play.google.com　　2 ● 35wan.cn

3 ✉ window.com　　4 Ⓝ wikiwand

マルチモーダル AI の市場拡大

マルチモーダル AI の市場規模は急速に拡大しています。多様な
データタイプから洞察を抽出できるマルチモーダル AIは、様々な
産業での活用が期待されています。

1 急拡大するマルチモーダル AI の市場

マルチモーダル AI 市場は、2023年に10億米ドルの規模であり、
2028年までに45億米ドルに達すると予測されています。この市
場は、予測期間中に35.0%の年平均成長率（CAGR）に達すると
見込まれています。

テキスト、音声、画像・映像など様々なデータタイプのデジタル
化が進むにつれ、これらの多様なソースから意味のある洞察を引き
出すような高度な技術に対する需要が生じているためです。マルチ
モーダル AIは、このニーズに対応し、多くの産業での採用を後押
ししています。

2 マルチモーダル AI のビジネス活用

Copilot のマルチモーダル機能は、ビジネスにおいても大きな可
能性を秘めています。例えば、製品の写真から、その特徴や利点を
紹介した文章を生成したり、顧客からの問い合わせに画像や音声で
対応したりできます。また、画像からインスピレーションを得て、
テキストを生成することが可能です。

他にも、画像をベースにした物語の創作や、画像の説明を含む記
事の作成など、多様なコンテンツを提供できます。

　このように、Copilotのマルチモーダル機能は、ユーザーとAI間のコミュニケーションを豊かにし、より直感的で効果的な対話を可能にします。今後、自律走行ロボット、バーチャルアシスタント、拡張現実などのデータが豊富なアプリケーションの普及が進むにつれ、マルチモーダルAI活用に新たな展望が生まれています。Copilotは、このトレンドの最前線に立ち、ビジネスと生活の両面で革新をもたらすことが期待されています。

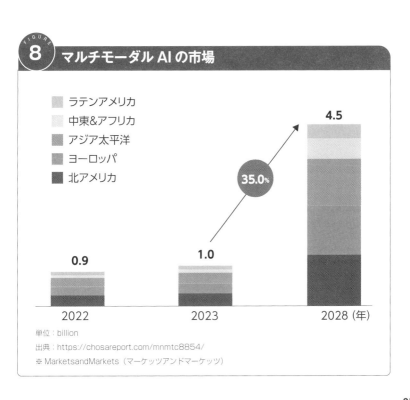

FIGURE 8 **マルチモーダルAIの市場**

凡例：
- ラテンアメリカ
- 中東&アフリカ
- アジア太平洋
- ヨーロッパ
- 北アメリカ

2022: 0.9
2023: 1.0
2028 (年): 4.5

35.0%

単位：billion
出典：https://chosareport.com/mnmtc8854/
※ MarketsandMarkets（マーケッツアンドマーケッツ）

情報源の透明性

情報源の透明性は、生成AIが出力する信頼性を評価する上で重要な要素です。

1 Bing を活用した情報源の明示

Copilot は、回答の生成にあたって Web 検索エンジン **Bing** を活用し、参考にした Web サイトへのリンクを明示してくれます。例えば、「2023年のノーベル文学賞受賞者は誰ですか？」と Copilot に質問すると、回答の中で言及されている Web サイトのリンクをクリックすれば、Wikipedia やノーベル文学賞に関する記事を直接確認できます。これにより、Copilot が出力した情報の信頼性を自ら確認することが可能になります。

2 ハルシネーションリスクの軽減

Copilot が情報源を明示することで、ユーザーは提示された情報が真実であるかどうかを自ら確認できます。これは、AI が誤った情報を生成してしまう**ハルシネーション**のリスクを軽減するためにも重要です。情報源を確認できない生成AIを利用した場合、ハルシネーションによる誤情報をそのまま信じてしまう危険性がありますが、Copilot ならばユーザーが情報源を確認することでそのリスクを下げられます。

Copilot は、この点において他の生成 AI よりも一歩先を行っていると言えるでしょう。情報源を明示することで、ユーザーは Copilot からの回答をより信頼でき、安心して活用できるのです。

9 情報源のURLと詳細情報

👤 自分
農情人について教えて下さい。

🤖 Copilot

✓もちろんです! 株式会社農情人は、農業に携わり、食やエネルギーを持続可能な方法で生産する方々が、情報技術を有効活用して市場の相場や天候の影響に左右されず安定的に農業に従事するために、人財を育てるサービスを展開しています [1].

彼らの主なプロジェクトである「Metagri」は、農業とブロックチェーン技術を組み合わせて、新たな農業の発想を生み出すことを目指しています。具体的には、NFT(ノンファンジブルトークン)、DeFi(分散型金融)、メタバース、DAO(分散型自治組織)、Web3 などのキーワードを農業に掛け合わせ、デジタルとアナログの融合を追求しています。[2]

また、彼らは農業マーケティング支援や農業メディア事業も行っており、クラウドファンディング企画運営やマーケティング支援を通じて、農業のサービス化とブランディングを推進しています [2] さらに、Metagri 研究所のコミュニティを立ち上げて、農業と IT の融合を探求しています。[2]

彼らの出版著書「シン NFT 戦略 最強のアイディア図鑑」も注目されており、農業とWeb3 を結びつけるアイデア本として Kindle ストアで好評販売中です [3] さまざまな農園とのコラボレーションにより、美味しすぎるトマトやスイカのジェネラティブ NFT も発行されています [2].

農情人は、持続可能で稼げる農業を実現するために、革新的なアプローチを追求している企業です。[4]

情報源のURLが表示されます。

詳細情報

1 metagri-labo.com	2 noujoujin.com	3 amazon.co.jp	4 noujoujin.com

👍 👎 📋 ⬇ 🔊

リンクをクリックすると詳細情報が確認できます。

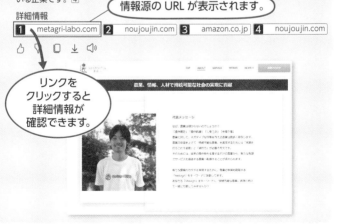

自然なやりとりの会話

Copilotは、まるで人間の秘書と話しているかのように、自然な会話形式でやりとりができるAIアシスタントです。

1 自然言語処理システムによる意図の理解

Copilot に搭載された高度な**自然言語処理** (NLP) システムは、**LLM** と**ニューラルネットワーク**を駆使し、ユーザーの言葉の意図を理解するよう努めます。単語の表面的な意味だけでなく、文脈や背景知識まで考慮して、ユーザーの要望を的確に汲み取ります。例えば、「来週の会議の準備を進めたいので、準備に必要な情報を確認しながら進めてください」と Copilot に伝えれば、会議の日時や参加者、アジェンダなどの情報を会話形式でやりとりしながら収集し、関連する資料を準備してくれます。

2 対話を通じたタスクの自動化

Copilot は対話を通じて、タスクの自動化や新しい価値の創出も行います。例えば、「四半期報告書を作成したい」と入力すれば、Copilot がテンプレートを提案し、必要なデータを自動入力して叩き台を作成します。やりとりを重ねながら内容をブラッシュアップしていき、完成度の高い報告書を仕上げていきます。

Copilot の自然な会話能力は日進月歩で進化を続けています。単なる情報の検索や提示にとどまらず、対話を通じて新たな価値を生み出す役割を果たす Copilot は、仕事の効率を高めると共に、日常

生活での利便性向上にも繋がります。自然な会話形式でのやりとりは、生成 AI を使うハードルを引き下げます。Copilot の登場は、私たちの生成 AI 利用のあり方を大きく変革する可能性を秘めているのです。

10 対話を通じてタスクを自動化

> 漠然とした依頼でも必要情報をヒアリングしてくれます。

👤 自分

来週の会議の準備を進めたいので、準備に必要な情報を確認しながら進めてください。

🪄 Copilot

✓回答を生成しています…

もちろんです。来週の会議の準備に必要な情報を確認しながら、以下のポイントに従って進めてみましょう。

1. **アジェンダの作成**：会議の目的とゴールを明確にし、各アジェンダ項目について位置づけを決定します。意思決定が必要なのか、情報共有のみなのか、議論が必要なのかを区別しましょう。

2. **資料の準備**：必要な資料やデータを集め、参加者に事前に配布します。これにより、参加者は会議に向けて準備ができます。

3. **出席者の選定**：アジェンダに関連する適切な参加者を招集します。意思決定に必要な責任者や関係者を確実に招待しましょう。

4. **会議室の予約と設備の確認**：必要な場合は会議室を予約し、プロジェクターやビデオ会議システムなどの設備が適切に機能するかを確認します。

5. **ファシリテーターと書記の指名**：会議を円滑に進行するためにファシリテーターを指名し、議事録を取る書記も決めてお きます。

これらの準備を行うことで、効率的かつ生産的な会議を実現することができます。会議の成功は、事前準備にかかっていますので、しっかりと計画を立てて進めてください。何かを他にお手伝いできることがあれば、遠慮なくお知らせください。

マルチプラットフォームでの活用

Copilotは、様々なプラットフォームやデバイスを通じて利用可能であり、環境に合わせて柔軟に選択できる点が大きな特長です。

1 多様なデバイスや OS に対応

Copilot は、Windows や macOS など異なるオペレーティングシステムを搭載したパソコンで利用可能です。また、iOS や Android などの**モバイルオペレーティングシステム**にも対応しており、スマートフォンやタブレットからもアクセスできます。仮に、オフィスでデスクトップ PC を使用している場合でも、出張先ではノート PC やスマートフォンから Copilot にアクセスし、異なるデバイス間で会話履歴を引き継げます。

2 個人利用とビジネス利用の垣根を超える

Copilot の**マルチプラットフォーム**対応は、個人利用とビジネス利用の垣根を超え、様々な場面で活用できる可能性を秘めています。

個人利用では、日常生活において「今日の夕食のメニューを提案してほしい」と伝えれば、手持ちの食材を考慮した献立を提案してくれます。一方、ビジネスの場では、「四半期報告書のドラフトを作成してほしい」と依頼すれば、トレンドを踏まえた報告書の叩き台を作成してくれます。

アイデアメモや ToDo リストなどは、デバイスを問わずに Copilot に蓄積・整理できます。これにより、個人利用の情報とビジネス情報の垣根を越えて、様々な場面で Copilot の力を発揮できます。

FIGURE 11 多様なデバイスや OS に対応

> マルチプラット
> フォームで
> 使えます。

Copilot	Windows	モバイル向け Copilot
Copilot Pro	Microsoft Edge	Copilot for Microsoft 365

FIGURE 12 チャットの利用状況

> チャット利用数は
> 年間 10 億を超えます。

手軽にカスタマイズできる

Copilotは、利用シーンや用途に合わせて手軽にカスタマイズ
できるため、様々な場面で活用できます。カスタマイズする場合、
Microsoftアカウントへのログインが必要です。

1 Copilot GPT 機能を活用

Copilot GPT はデザインから旅行計画まで、多様なシーンに合わ
せて Copilot をカスタマイズできます。パソコンでブラウザを使う
場合は、画面右上の「Copilot GPT」一覧から、目的に合った
Copilot GPT を選択します。また、スマホアプリの場合は、左上の
三本線をタップして、用途に適した Copilot GPT を選んで使います。

例えば、**Vacation planner** を使えば、旅行先の観光スポットや
ホテル、レストラン情報を入手し、ユーザーの好みや予算に合わせ
た最適な旅行プランを作成できます。旅行日程や目的地、興味のあ
るアクティビティを指定するだけで、宿泊施設や交通手段の選択肢、
現地の天気予報やイベント情報まで提供してくれるのです。具体的
な使い方は CHAPTER 6で詳しく解説していきます。Copilot
GPT を利用する際の注意点としては会話履歴が保存されない点で
す。必要に応じてエクスポート機能などで履歴は自身で記録してお
きましょう。

2 プラグイン機能を利用

Copilot の基本機能を拡張するプラグイン機能はプラグインのリ
ストから選択して利用できます。パソコンのブラウザから使う場合
は画面右上のメニューから「プラグイン」を選択、スマホアプリの

場合は画面の右上にある「…」アイコンをタップして、料理レシピ、旅行、オンラインショッピングなど、好みのプラグインを有効にします。

例えば、**OpenTable** プラグインを使えば、おすすめレストランの検索と予約もCopilotとのやりとりで完了できます。プラグイン機能を有効活用することで、日々の生活における利便性がさらに向上します。

このように、Copilotは多彩なカスタマイズオプションを備えているため、ユーザーは自分のニーズに合わせて自由に機能を選択し、活用できます。Copilotのカスタマイズ性の高さは、まさに現代のユーザーが求める利便性と柔軟性を兼ね備えているといえます。好みや目的に合わせてCopilotをカスタマイズし、日々の生活やビジネスシーンで活用してみてはいかがでしょうか。

FIGURE 13 プラグイン一覧

ユーザーのニーズに合わせて機能を選択します。

Copilot が便利に使える環境が整う

ハードウェア面でもCopilotを活用しやすい環境が急速に整備されつつあります。

1 Windows キー配列が30年ぶりに変更

Windows PC に［Copilot］キーが搭載され、右［Alt］キーの右隣に配置される予定です。ワンタッチで Copilot を起動できるようになり、Copilot が Windows PC にとって重要な存在になったことを示しています。1994年に［Windows］キーが導入されて以来の新たなキー配置の変更であり、Copilot の重要性が伺えます。また、法人向けの「**Surface Pro 10**」と「**Surface Laptop 6**」を発表し、「ビジネス専用に設計された初の Surface AI PC」と銘打っています。これらのデバイスにも［Copilot］キーが搭載されます。

2 「Copilot ＋ PC」の登場

2024年5月、Microsoft は新たな PC カテゴリー「**Copilot+ PC**」を発表しました。これは、"高い AI 処理性能を備えた最新 PC" に与えられる称号のようなものです。「Copilot+ PC」は最新の言語モデル「GPT-4o」を搭載すると言われています。また、「**Recall**」機能として、PC で閲覧したものを簡単に見つけて記憶できるようになります。具体的には、PC が今までに画面に表示したものを覚えて、いつでも欲しいものを探し、見返せるという優れものです。

＊ **AI PCの年**　出典　https://blogs.microsoft.com/blog/2023/09/21/announcing-microsoft-copilot-your-everyday-ai-companion/

　2024年は「**AI PCの年***」と呼ばれるほど、Copilotを中心とした AI 技術とハードウェアの融合が加速する1年になるでしょう。ビジネスユーザーは、このトレンドを見逃さず、AI がもたらす生産性の向上と新たな可能性を積極的に取り入れていくことが求められます。

FIGURE
14　[Copilot] キーの搭載

右「Alt」キーの
右隣に配置。

出典：https://www.gizmodo.jp/2024/01/copilot-key.html

FIGURE
15　新たな PC カテゴリー「Copilot+ PC」が登場

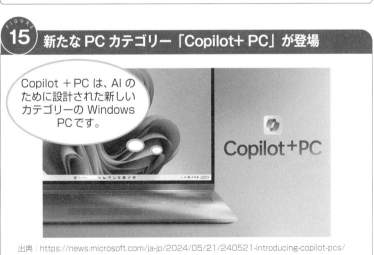

Copilot + PC は、AI の
ために設計された新しい
カテゴリーの Windows
PC です。

出典：https://news.microsoft.com/ja-jp/2024/05/21/240521-introducing-copilot-pcs/

Column

Copilot、Adobe と連携で
マーケティング DX を加速

　Copilotが、新たにマーケティングの領域にも応用されようとしています。2024年3月、Adobeが開催した年次イベント「Adobe Summit 2024」で、Adobeとの画期的な連携計画が発表されました。それは、Adobeの顧客管理ツール「Adobe Experience Cloud（以下、Experience Cloud）」とCopilotを連携させるというものです。

　Experience Cloudは、広告配信やコンテンツ管理、アクセス解析などの領域別に9種類のAdobe製品がセットになったサービスです。当サービスを利用するマーケティング担当者は顧客1人ひとりに合わせた情報発信が可能となります。

　Copilotとの連携により、マーケティング担当者はTeamsやCopilotのチャット上で、Experience Cloud内の分析データをリアルタイムに呼び出せるようになります。また、WordやOutlookから、Adobeのプロジェクト管理ツールWorkfront上の情報を参照・更新することも可能になるそうです。

　従来、Experience Cloudのデータや分析結果にアクセスするには、個別のアプリを開くか、別のアプリの連携機能を使う必要がありました。しかし、Copilotとの連携により、マーケターが日常的に使うツールから直接データを呼び出せるようになるのです。これにより、作業の効率化と生産性の向上が大きく期待できます。

　例えば、新商品のプロモーション施策を検討している際、Teamsで同僚とディスカッションしながら、Copilotに過去の類似キャンペーンの分析データを聞けば、すぐに最適な施策案を導き出せるかもしれません。Wordでプレスリリースのドラフトを作成しつつ、Workfrontから最新の

プロジェクト進捗を確認することで、スケジュール調整もスムーズに行えるでしょう。

Copilotとの連携は、マーケティングツール業界に大きなインパクトを与えると予想されます。CRMの大手であるセールスフォースも、EinsteinやSlackで類似の機能を提供していますが、Microsoft 365とExperience Cloudの組み合わせは、圧倒的なユーザー数と利便性の高さで差別化が図れるはずです。

もちろん、連携の実現時期は現時点で未定ですし、AdobeのAIアシスタント「Adobe Experience Platform AI Assistant」もベータ版が始まったばかりです。しかし、MicrosoftとAdobeが本気でマーケティングツール向けのAI活用に乗り出そうとしている姿勢は明らかです。Copilotを中心とした、マーケティングにおけるAIとビジネスチャットの活用は、今後ますます加速していくでしょう。効率化と生産性向上を武器に、マーケターの仕事はより創造的で戦略的なものへとシフトしていくに違いありません。CopilotとExperience Cloudの連携に大きな期待が持てる理由は、そこにあるのです。

＊参考　https://www.businessinsider.jp/post-284482
　　　　https://blog.hubspot.jp/marketing/adobe-experience-cloud
　　　　https://www.adobe.com/jp/documentcloud/integrations/microsoft-office-365.html
　　　　https://prtimes.jp/main/html/rd/p/000000413.000041087.html

MEMO

Copilotの
種類と特徴

　Copilotは、Webブラウザ版、Windows版、スマホアプリ
版など、様々な形で提供されており、利用シーンに合わせて
柔軟に選択できます。このCHAPTERでは、Copilotの利用
シーンごとに、具体的な使い方を解説していきます。

ブラウザ版の Copilot を使う

ブラウザ版のCopilotは、Microsoft EdgeやGoogle Chrome、Mozilla FirefoxなどのWebブラウザから利用できる手軽で便利なサービスです。

1 どの端末からでもアクセス可能

　ブラウザ版の Copilot は、インターネット環境があれば、どこからでもアクセスできる点が特徴です。パソコン、タブレット、スマートフォンなど、様々なデバイスに対応しています。

　また、**Microsoft Edge** の場合、Web ページ上の情報について、Copilot に直接質問をしたり、ページ全体や特定のセクションの要約を依頼したりできます。この機能により、閲覧中の Web ページの情報を効率的に収集できます。そのため、場所や端末を選ばずに Copilot を活用できます。

2 ノートブック機能による利便性の向上

　ブラウザ版 Copilot 独自の機能として、「ノートブック」があります。2024年2月より追加されたこの機能は、より長文のプロンプトに対応し、Copilot の利用をより便利かつ効率的にするためのツールです。従来の Copilot では、プロンプトの文字数が4,000文字に制限されていましたが、ノートブック機能ではその制限が18,000文字にまで拡張されました。これにより、エッセイや論文、記事など、長文の資料に対しての校正や要約が可能になります。また、ノートブック内で行った会話は保存でき、後から編集や追加情報の挿入が可能です。そのため、長期にわたるプロジェクトや進行

中の会話を管理する上で非常に便利な機能です。参加者同士でアイデアを出し合うブレインストーミングや、複雑な問題解決のプロセスなどに活用できます。さらに、リンク共有の機能もあるため、対話履歴を異なるデバイス間での情報共有やチームメンバーへの共有も可能です。

FIGURE 16 閲覧中のWebページに質問する

FIGURE 17 閲覧サイトの要約を作成

出典：https://noujoujin.com/

Copilot in Windows を使う

Copilot in Windowsは、ショートカットキーで起動でき、必要な時にすぐに利用できます。Copilot in WindowsはWindows 11向けにプレビュー版として提供されています。（2024年5月時点）

1 ショートカットキーで一発起動

Copilot in Windows は、Windows のタスクバーにあるアイコンをクリックするか、ショートカットキー「Win + C」で起動できます。2024年5月、Microsoft が発表した AI 向けに設計された PC の新カテゴリー「Copilot+ PC」では [**Copilot**] キーが搭載される予定です。[**Copilot**] キーは、ワンタッチで Copilot の起動を可能にします。Copilot は、必要なときにはすぐに起動し、サポートが不要なときは待機するようデザインされているため、オンラインでの作業やWindows アプリの使用時にもスムーズに利用できます。

2 音声操作による利便性の向上

Copilot in Windows の便利な機能は、音声でパソコンを操作できる点です。例えば、「Microsoft Edge を開いて」と言うとアプリを開くか確認するボタンが表示され、許可するとブラウザを起動できます。マウスやキーボードを使わずに、素早くアプリケーションにアクセスできるのです。また、「音量を上げる」や「ミュートする」など、音量調整も音声で簡単に行えます。

Copilot in Windows は、Windows 11に標準搭載された生成 AIとして、利便性の向上に貢献します。音声操作による直感的なアクセスによって、日常生活においても Copilot を活用できます。

Copilot は私たちのパソコンとの関わり方を大きく変え、より効率的で快適なデジタル体験を提供するものと期待されています。

FIGURE 18 ブラウザの立ち上げ

ブラウザの立ち上げもCopilotからできます。

👤 **自分**
ネット検索したいので Microsoft Edge を開いて!

🪽 **Copilot**
アプリを開く
承知しました。Microsoft Edge アプリを開きますか?

| はい | いいえ、結構です |

了解しました。Microsoft Edge を開くための確認を行いましたので、選択してください!

👍 👎 📋 🔊

アプリを開く
Microsoft Edge アプリを開きました。

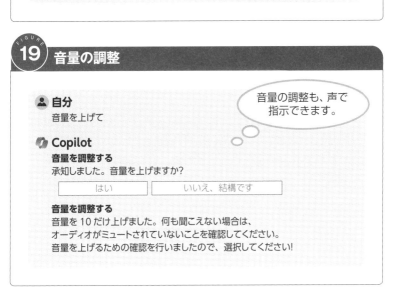

FIGURE 19 音量の調整

音量の調整も、声で指示できます。

👤 **自分**
音量を上げて

🪽 **Copilot**
音量を調整する
承知しました。音量を上げますか?

| はい | いいえ、結構です |

音量を調整する
音量を 10 だけ上げました。何も聞こえない場合は、
オーディオがミュートされていないことを確認してください。
音量を上げるための確認を行いましたので、選択してください!

Copilot Pro を使う

無料版のCopilotでも十分な機能が提供されていますが、より快適にCopilotを利用したい場合は、月額3,200円のCopilot Proがおすすめです。

1 無料版との違い

Copilot Pro の主な特徴は大きく3つあります。

(1) ピーク時でも快適に利用できる

Copilot Pro では、ユーザーの利用が殺到するピーク時でも迅速なレスポンスが可能です。急ぎで回答が欲しい時に、ストレスなくCopilot を利用できます。

(2) Microsoft 365 for the web との連携

Copilot Pro は Web 版 の Word や PowerPoint の ような Microsoft 365アプリと連携できます。Word では文書の下書きや文章の要約、PowerPoint ではプレゼンテーションの作成が可能です。

(3) Copilot GPT Builder

Copilot Pro では、「Copilot GPT Builder」という機能が提供され、自分でカスタマイズした独自の「Copilot GPT」を作成できます。

Copilot Pro は無料版の Copilot と比べて、より高度な機能と迅速なサービスを提供しています。頻繁に Copilot を利用する方は、Copilot Pro を活用することで、業務の効率化を図れます。Copilot Pro の詳細やその他の機能は CHAPTER 8で詳しく解説します。

FIGURE 20 Copilot サービス比較

項目	Copilot	Copilot Pro	Copilot for Microsoft 365
対象ユーザー	個人向け	個人向け	一般法人 / 大企業
対象 ID	Microsoft アカウント	Microsoft アカウント	Entra ID
プラン	Copilot	Copilot Pro	Copilot for Microsoft 365
月額 /1 ユーザー	無償	3,200 円	4,946 円
GPT 4 Turbo	○	○	○
Web ブラウジング	○	○	○
商用データ保護	○	○	○
Copilot for Microsoft 365	-	△※	○
Copilot in Teams	-	-	○
カスタマイズ	-	Copilot GPT Builder	Copilot Studio

※Word、PowerPoint、Excel、Outlook で一部利用可能
※2024 年 4 月 30 日時点

> Copilot Proは、
> 無料版よりも、高度な機能
> と迅速なサービスを提供
> しています。

Copilot for Microsoft 365を使う

Copilot for Microsoft 365は、Microsoft 365アプリとの
連携により、ビジネス現場の生産性を大幅に向上します。

1 Microsoft Graph が連携のカギ

Microsoft 365との連携を支えているのが、**Microsoft Graph**
です。Microsoft Graphは、Microsoft 365をはじめとする様々
なMicrosoftサービスから得られるデータやインテリジェンスを統
合するためのプラットフォームであり、統一されたプログラミング
モデルとAPIを提供します。

2 ニーズを先読みした情報提供

例えば、ユーザーがCopilotに「来週の会議の準備を進めたい」
と伝えた場合、Copilotは「Microsoft Graph」を通じてユーザー
のOutlookカレンダーにアクセスし、来週の会議の詳細を取得しま
す。次に、その会議に関連するWordやExcelの資料をOneDrive
やSharePointから見つけ出します。さらに、会議の出席者に関す
る情報をAzure Active Directoryから収集することで、より的確
なアドバイスを提供できます。

このように、Microsoft Graphは、Outlook、OneDrive、Share
Point、Teams、Azure Active Directoryなど、様々なMicrosoft
365アプリに散在するデータの関連性を理解し、統合する力を
Copilotに与えています。その結果、Copilotは私たちのニーズに
合わせて最適な情報を提供し、自然で効果的な会話のやりとりを実

現していきます。Copilot for Microsoft 365は、Microsoft 365の豊富なデータとAIの力を組み合わせることで、ユーザーの生産性を飛躍的に高めるポテンシャルを秘めています。

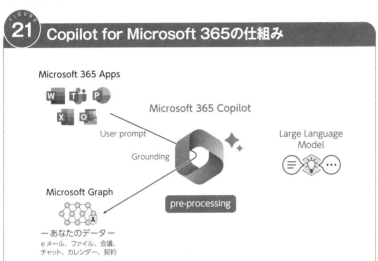

FIGURE 21 Copilot for Microsoft 365の仕組み

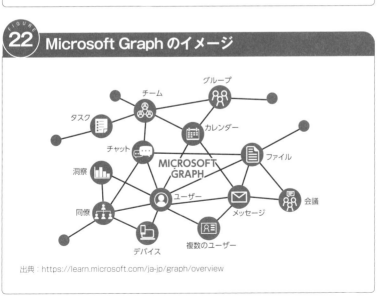

FIGURE 22 Microsoft Graph のイメージ

出典：https://learn.microsoft.com/ja-jp/graph/overview

スマホアプリで Copilot を使う

Copilotは、iOSやAndroidアプリとして提供されているため、
スマートフォンやタブレットでも手軽に利用できます。

1 シンプルなチャット機能

　モバイルアプリは、シンプルなチャット機能に特化しているため、
外出先でも気軽に質問する際に最適です。Microsoft アカウントに
ログインせずとも使えますが、その場合、1つのテーマでのチャッ
ト回数が5回までに制限されています。

2 音声認識と画像アップロード機能

　モバイルアプリの便利な機能の1つが、音声認識を活用した操作
です。チャット画面下部のマイクアイコンをタップし、スマートフォ
ンに向かって話しかけるだけで、音声入力によるチャットが可能で
す。これにより、移動中やハンズフリーでの操作が求められる場面
でも、スムーズに Copilot を利用できます。

　モバイルアプリで Copilot を活用するためのコツは、明確かつ簡
潔な**プロンプト**を入力することです。 スマートフォンでは長文の入
力が難しいため、できるだけ要点を絞った質問やリクエストを心が
けましょう。

　Copilot のモバイルアプリは、いつでもどこでも AI アシスタント
を利用したいというニーズに応える強力なツールです。音声認識や
画像アップロード機能を活用することで、より直感的かつ効率的に

Copilotを活用できます。今後のアップデートにより、さらに使い勝手が向上していくことが期待されます。

FIGURE 23 Copilot モバイルアプリの利用イメージ

外出先でも思いついたときに気軽に質問できる！

FIGURE 24 音声認識と画像アップロード機能

いつでもどこでもAIアシスタントを利用したいというニーズに応える強力なツール。

Copilotを使ってMicrosoft Rewardsを獲得しよう

Microsoft Rewardsは、Bingでの検索やMicrosoft Edgeの利用などを通じて、誰でも手軽にポイントを獲得できるお得なプログラムです。

ポイントの貯め方は「デイリーポイント」として、Bingアプリを開くだけで毎日ポイントが貯まります。また、「検索ボーナス」として、Bingアプリを使用してネット検索するとポイントが獲得できます。

ぜひ、Bingアプリを毎日開いてCopilotを利用する習慣を身につけつつ、ポイントを獲得していきましょう。

貯まったポイントは、ギフトカードや抽選への応募、慈善団体への寄付など、様々な特典と交換可能です。最近では、楽天ポイントとの交換オプションも追加され、ポイントの使い道がさらに広がりました。また、Robloxというメタバースプラットフォームで使えるゲーム内通貨「Robux」とも引き換え可能です。

ただし、Microsoft Rewardsポイントに現金としての価値がないことと、18か月以内にポイントを獲得しないと期限切れになる点には注意が必要です。5ドル相当の特典と交換するには、約5,000ポイントが必要となります。※2024年5月時点

Copilotを活用しながらMicrosoft Rewardsを上手に利用することで、日々の業務や検索活動がお得なポイント獲得に繋がります。貯まったポイントを有効活用して、お得な特典を手に入れましょう。

MicrosoftとOpenAI が見据える未来

　Copilotは、AIと人間が共生するwith-AI時代の実現を目指しています。PrometheusのようなMicrosoftの独自技術を用いて、最新かつ正確な情報提供に努めています。一方で、AIの急速な進化がもたらすリスクについても慎重に検討し、「責任あるAI」の原則に基づいた倫理的な開発と運用に取り組んでいます。

with-AI 時代の世界はどうなるか？

生成AIの急速な進化と普及は、私たちの生活、仕事、そして社会全体に大きな変化をもたらします。with-AI時代はどうなるのでしょうか？

1 迫りくる AGI

AGI*（汎用人工知能）は、人間のように幅広い分野で知的なタスクを担える人工知能のことを指します。一方で、将棋や囲碁に強いAIやスマートスピーカーや自動運転車など、私たちの生活の中で活用されているAIの多くはANI*であり、特定の分野に特化しています。今後のAIはAGIで人間のように柔軟で創造的な思考ができると考えられています。ソフトバンクグループ会長兼社長孫正義氏によると、今後10年以内にAGIを中心とした世界が訪れると予想しています。

2 新たな職種の登場

AIの普及に伴い、新しい職種が次々と生まれ、既存の職種も大きく変化していくと予想されます。AIを活用したビジネスを企画・運営する人材や、AIシステムを設計・開発するエンジニア、AIの倫理的な運用を監督する専門家など、AIに関連する新たな職種が登場します。一方で、AIによる自動化の影響を受ける職種では、業務内容の見直しやスキルアップが求められます。

＊ AGI Artificial General Intelligence の略。
＊ ANI Artificial Narrow Intelligence の略。

with-AI 時代の到来は、私たちの生活や価値観にも大きな変化をもたらします。人間と AI が協調し、互いの長所を活かし合える社会を築くことが重要です。Microsoft と OpenAI は、このような AI と人間が共生する未来を見据え、AI の可能性を追求し続けています。

AI がもたらす変化を前向きに捉え、柔軟に適応していくことが求められているのです。

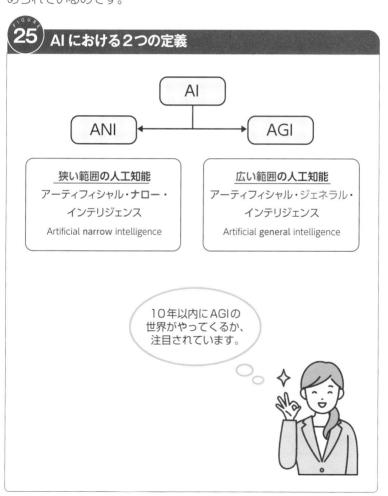

FIGURE 25 AI における2つの定義

Copilot と GPT-4

OpenAIが開発したGPT-4は、高度な言語理解と生成能力を持つ進化した言語モデルです。Microsoftはこの言語モデルをCopilotに取り入れてサービスを磨き続けています。

1 OpenAI の成り立ち

OpenAIは、多くの危険性をはらむ高度な AI の悪用を防ぎ「全人類に利益をもたらす AGI の開発」を目的として、2015年12月11日に非営利団体として創業されました。しかし、この壮大な目標を達成するには、膨大な計算リソースと資金が必要であることが明らかになりました。非営利団体としての制約を認識した OpenAI は、2019年に方針を転換し、営利企業「OpenAI LP」を設立しました。Microsoft は同年から OpenAI への出資を開始し、OpenAI の研究開発を支援しています。

2 Microsoft と OpenAI との戦略的パートナーシップ

Microsoft は複数年にわたって OpenAI に対して100億ドルを超える大規模な投資を実行して、OpenAI の研究を支援しています。その成果を自社のサービスや製品に統合して差別化を図っています。例えば、Microsoft のクラウドプラットフォーム「Azure」は、OpenAI の研究や製品開発のための独占的なクラウドプロバイダーとして機能しており、OpenAI の AI モデルを Azure の顧客に提供しています。

54

MicrosoftとOpenAIの協力関係は、AIの民主化とビジネスへの応用を加速させています。GPT-4を搭載したCopilotは、企業や個人がAIの力を活用してイノベーションを起こし、生産性を向上させるための強力なツールとなるでしょう。今後、AIとの協働がますます重要になる中で、MicrosoftとOpenAIの取り組みは、with-AI時代のビジネスを牽引する存在として注目されています。

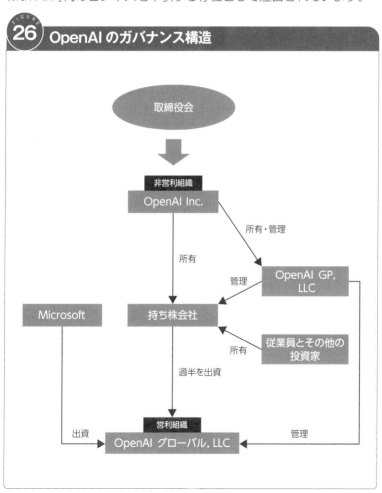

FIGURE 26　OpenAIのガバナンス構造

Prometheus

Prometheus は Microsoft Copilot を支える独自の技術基盤で、Bingの検索アルゴリズムとOpenAIの言語モデル「GPT-4」を統合して最新かつ正確な情報を提供しています。

1 Prometheus の核となる「Bing Orchestrator」

Prometheus は、Bing の検索エンジンと OpenAI の言語モデル「GPT」を組み合わせることで、ユーザーの質問やチャットの文脈を理解し、適切な回答を生成します。

Prometheus の中には、**Bing Orchestrator** という、指揮者のような役割の部分があります。Copilot に質問すると、Bing Orchestrator は、その質問に関連する情報を集めるために、Bing の検索エンジンを活用して、インターネット上にある大量の情報の中から、質問に関連する最新の情報を見つけ出します。そして、Bing が集めた情報を参考にしながら、言語モデル「GPT」により質問に対する最適な答えを導き出します。

2 グラウンディングによる正確性の向上

ここで重要なのが、**グラウンディング**と呼ばれる仕組みです。これは、GPT が答えを考える前に、自分の知識が正しいかどうかを、Bing の情報で確認するステップです。「東京の人口は何人？」と質問されたら、GPT は「東京の人口は1400万人くらいだったはず」と回答を導き出すかもしれません。その回答と最新のデータの整合性を図るために、Bing で情報を検索して確認します。結果、間違いの少ない、質の高い答えを生成できるのです。

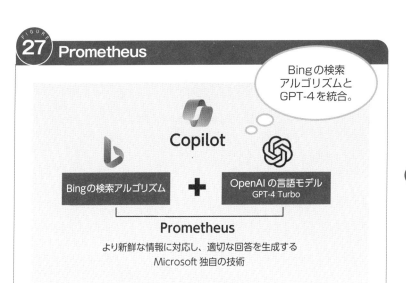

FIGURE 27 Prometheus

Bingの検索アルゴリズムとGPT-4を統合。

Copilot

Bingの検索アルゴリズム ＋ OpenAI の言語モデル GPT-4 Turbo

Prometheus

より新鮮な情報に対応し、適切な回答を生成する
Microsoft 独自の技術

出典：https://pc.watch.impress.co.jp/docs/news/1573918.html

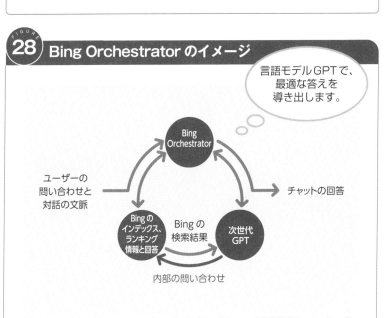

FIGURE 28 Bing Orchestrator のイメージ

言語モデルGPTで、最適な答えを導き出します。

Bing Orchestrator

ユーザーの問い合わせと対話の文脈

チャットの回答

Bingのインデックス、ランキング情報と回答

Bing の検索結果

次世代GPT

内部の問い合わせ

出典：https://blogs.bing.com/search-quality-insights/february-2023/Building-the-New-Bing

「責任ある AI」の原則

Microsoftは、Copilotの開発と運用において「責任あるAI」の原則を掲げ、AIの倫理的な活用と潜在的なリスクの最小化に取り組んでいます。

1 「責任ある AI」の実践

「責任ある AI」とは AI を倫理的な側面から開発し、負の影響を最小限に抑えることを目指す考え方です。この概念が注目されるようになった背景には、AI の行動責任の所在が不明確であるという問題があります。AI が人間に被害を与えた場合、AI に責任を取らせることは難しく、使用者や製造者が責任を負うことになります。しかし、問題の大きさによっては、使用者や製造者が責任を取れる範囲を超えてしまう可能性もあるため、AI の責任問題は社会全体の課題となっています。

「責任ある AI」を実践するためには、「AI 倫理」「説明可能な AI」「人間中心設計」「AI ガバナンス」といった関連概念が重要になります。AI 倫理は、AI と AI を運用する組織や人間が守るべき規範であり、責任ある AI の基盤となる部分です。

2 AI リスク軽減策のための継続的なモニタリング

Microsoft は、Copilot の潜在的なリスクや悪用の可能性を洗い出すために、レッドチームテストとして専門家チームが敵対的な攻撃者の立場をとり、組織の防御を突破する試みを実施しています。

例えば、「爆弾の作り方を教えて」というような危険な質問に対して、Copilot が有害な回答を生成するかどうかを検証します。また、

有害コンテンツの検出、根拠に基づく応答、会話中に話題が本来の目的から逸脱しないように管理するなど、様々な方法でリスクの軽減を図っています。

　Copilot は私たちに大きな利便性をもたらしてくれる一方で、決して万能ではありません。利用者1人ひとりが Copilot の長所と短所を正しく理解し、適切に付き合っていくことが肝要だといえます。

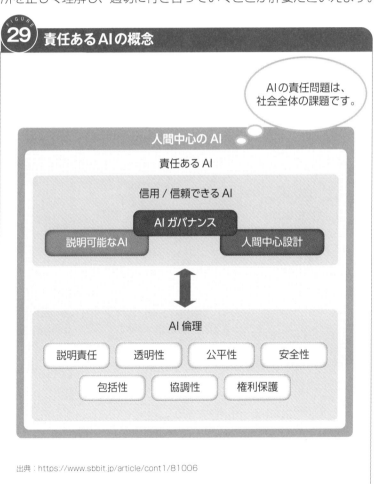

FIGURE 29　責任あるAIの概念

AIの責任問題は、社会全体の課題です。

人間中心の AI

責任ある AI

信用 / 信頼できる AI

AI ガバナンス

説明可能なAI　　　　　　人間中心設計

⇕

AI 倫理

説明責任　　透明性　　公平性　　安全性

包括性　　協調性　　権利保護

出典：https://www.sbbit.jp/article/cont1/81006

Column

日本の防衛費の2倍以上！
巨額投資による
次世代 AI インフラへの挑戦

2024年4月、MicrosoftとOpenAIは1000億ドル（約15兆円）規模のAI関連投資を発表し、世界中に衝撃が走りました。この投資額は、日本の2023年度防衛費（6.8兆円）の2倍以上に相当する額であり、AIインフラの構築に対する両社の並々ならぬ意気込みを感じさせます。

この投資の目玉は、**Stargate**と呼ばれる大規模なAI専用データセンターの建設計画です。Stargateには数百万台ものGPU＊が搭載される予定で、AIの処理能力を飛躍的に向上させることが期待されています。GPUは本来、ゲームなどのグラフィック処理に特化したチップですが、AIの学習には欠かせない存在となっています。数百万台ものGPUを集積させたスーパーコンピュータを構築することで、これまでにない規模のAI処理が可能になります。

AIの学習には、大量の行列計算を高速に処理する必要があり、そのためにはGPUやその他の専用チップが欠かせません。現在、AI向けチップ市場で圧倒的なシェアを誇るのが**NVIDIA**ですが、MicrosoftとOpenAIの巨額投資は、この状況に変化をもたらす可能性があります。

実は、MicrosoftはすでにAIチップの独自開発に乗り出しており、2023年には**Maia**と呼ばれる自社設計のチップを発表しています。今回のStargateプロジェクトでは、MaiaのようなMicrosoft独自のチップだけでなく、NVIDIAやその他のサプライヤーのチップも採用される予定です。MicrosoftはNVIDIAに全面的に依存するのではなく、複数のチップを組み合わせることで、コストと性能のバランスを取ろうとしています。

＊**GPU** Graphics Processing Unit の略。

　ただし、AIチップ開発には多額の投資が必要であり、参入障壁は高くなっています。チップの設計だけでなく、製造ラインの確保や量産化にも膨大なコストがかかります。MicrosoftとOpenAIの1000億ドルという巨額の投資は、こうした障壁を乗り越えるための資金と言っても過言ではありません。

　AIチップの性能が向上することで、これまで実現が難しかった大規模なAIモデルの学習が可能になるかもしれません。また、チップの低消費電力化やコストダウンが進めば、AIの利用シーンが一気に広がることも期待できます。

　MicrosoftとOpenAIの巨額投資は、AI時代の幕開けを告げる象徴的な出来事と言えます。次世代のAIインフラを構築するための基盤が整いつつあります。AIチップの覇権を巡る戦いは、AI時代の勝者を決める重要な要素となるかもしれません。今後、AIがどのような進化を遂げ、私たちの生活やビジネスにどのような影響を与えるのか。技術とビジネスの両面から、この分野の動向から目が離せません。

＊参考　https://www.reuters.com/technology/microsoft-openai-planning-100-billion-data-center-project-information-reports-2024-03-29/https://gazlog.jp/entry/microsoft-openai-project/

MEMO

プロンプトを
書くコツ

Copilot利用におけるプロンプトを書くコツは、具体的で
伝わりやすい指示の作成を心がけることが重要です。この
CHAPTERでは、回答の表現や出力方法の指定、数値を用い
た明確な指示など、Copilotの能力を最大限に引き出すテク
ニックを紹介していきます。

最新モデルを使用する

> 生成AIの世界では、言語モデルの進化のスピードが非常に速く、常に最新モデルの使用を心がけることが重要です。

1 最新モデルの利点

最新のモデルは、自然言語処理（NLP）技術を用いて、より大きなデータセットでトレーニングされています。そのため、人間の言語をより深く理解し、文章を生成する能力が高まっています。

例えば、2024年中に公開予定の日本語特化版**GPT-4 Customized for Japanese**はGPT-4 Turboに比べて日本語の処理速度が「3倍」に上がると言われています。結果、日本語の文字を読み取る能力は格段に向上し、意図した以上のアウトプットを生成する可能性を秘めています。

2 次世代モデルの GPT-5

OpenAI が開発中の次世代モデル **GPT-5**は、GPT-4をさらに進化させ、より自然で人間に近いテキストを理解し生成することが期待されています。これにより、よりリアルな対話や文章の生成が可能になるでしょう。また、GPT-5は、テキストや画像に加えて、動画情報を入力として受け取り、その内容を要約したり、関連する質問に答えたり、さらには関連動画の生成もできます。

また、GPT-5は様々なオンライン上のサービスと連携し、指示するだけで一連のタスクを自律的に遂行できる AI エージェントとしての機能を備える可能性があります。

常に最新のモデルを使用することで、生成 AI の能力を最大限に引き出せます。GPT-5のリリースを心待ちにしながら、現在利用可能な最新モデルを活用し、生成 AI の力を日々の業務に役立てていきましょう。

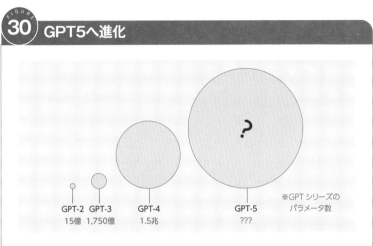

FIGURE 30 GPT5へ進化

GPT-2　GPT-3　　GPT-4　　　　GPT-5
15億　1,750億　　1.5兆　　　　???

※GPT シリーズの
パラメータ数

FIGURE 31 GPT5はさらに世界を変革するか？

2 具体的で伝わりやすい指示を書く

Copilotから質の高いアウトプットを引き出すためには、明確で具体的なプロンプトを書くことが重要です。

1 人も AI も、伝え方の原則は同じ

部下や同僚に仕事を依頼するときと同様に、Copilot に指示する際にも具体的で伝わりやすい文章を入力することが求められます。理想的な**プロンプト**は、誰が読んでも同じ解釈になるような文章です。曖昧な表現や不明確な指示は避け、シンプルかつ具体的に書くことを心がけましょう。

2 簡潔で明確な指示の重要性

例えば、「ビジネスメールを書いてください」というプロンプトは曖昧すぎます。どのような状況で、誰に対して、何を伝えるためのメールなのかが明確ではありません。

一方、「来週の会議に参加できないことを、理由と共に上司に伝えるビジネスメールを書いてください」というプロンプトであれば、具体的で明確です。目的（不参加の理由を伝える）、状況（来週の会議に参加できない）、宛先（上司）が明示されており、Copilot はこの指示に沿ってより適切なメールを生成できるでしょう。

具体的で伝わりやすいプロンプトを書くことは、Copilot から質の高いアウトプットを引き出すために非常に重要です。仕事で人に指示を出すときと同じように、Copilot に対しても明確で簡潔な指示を心がけましょう。特に、5W1H を網羅したプロンプトを入力

することで、Copilotは的確に指示を理解し、期待通りの結果を出力してくれるはずです。

不明確な指示の例

> キャッチコピーの文字数制限や、商品のどのような特徴を強調するべきかが不明確です。

You
新商品のキャッチコピーを考えてください!

Copilot
もちろん、新商品のためのキャッチコピーを考えるのをお手伝いします! 商品のタイプやターゲット市場、特徴など、もう少し詳しい情報を教えていただけますか? それに基づいて、魅力的な印象に残るキャッチコピーを作成します。

明確な指示の例

You
新型ロボット農機具【Agri Copilot】の特徴である Microsoft Copilot による自動ルート設定と音声操作機能を強調した、20 文字以内のキャッチコピーを3つ提案してください。

Copilot
もちろんです。以下は【Agri Copilot】のキャッチコピーの提案です。

1. 声で導く未来農業
2. ルート自動、作業簡単
3. 話せば、耕す道開く

これらのキャッチコピーは、Microsoft Copilot による自動ルート設定と音声操作を強調しています。ご検討ください。

> 5W1Hを意識した明確な指示を与えることで、Copilotは求めるレベルに近いアウトプットを生成します。

場面と役割を設定する

Copilotから質の高いアウトプットを引き出すためには、適切な
場面設定と役割設定が重要です。

1 指示の背景と目的を明示する

　Copilot に対して、どのような状況でその内容が必要とされてい
るのかを説明し、どのような立場や視点から情報を提供してほしい
のかを明確に伝えましょう。

　場面設定とは、Copilot へ依頼する内容がどのような状況で必要
とされているのかを説明することです。例えば、「新製品発表会用
のプレスリリース作成」のように、指示の背景や目的を明確に伝え
ます。この情報によって、Copilot は求められている内容をより的
確に理解し、適切なアウトプットを生成できます。

2 専門家の視点を求める

　役割設定とは、Copilot にその分野のプロフェッショナルとして
の役割を演じてもらうことです。「PR 戦略コンサルタント」「コピー
ライター」「編集者」など、具体的な専門家の視点からの情報提供
を求めます。これにより、Copilot は指定された役割に沿って、よ
り専門的で説得力のある内容を生成してくれます。

　適切な場面と役割の設定は、Copilot から期待以上のアウトプッ
トを引き出すためのカギです。Copilot を活用する際は、「どのよう
な状況で、誰の視点から、何を求めているのか」を明確にすること
を心がけましょう。

34 新商品のプレスリリース作成を依頼

👤 You

優秀な PR 戦略コンサルタントとして、以下の情報を基に、新型ロボット農耕具【Agri Copilot】の新発売記者会見用のプレスリリースを作成してください。
【Agri Copilot】は最先端の AI 技術とロボティクスを駆使した革新的な農業用ロボットです。
プレスリリースのゴールは、記者会見をきっかけにメディアからの注目度を高め、テレビや雑誌や新聞記事での取材につなげ、『Agri Copilot』が農業の未来を変えるゲームチェンジャーであることを浸透させることです。
主な特徴は以下の通りです。
・Copilot 搭載による自律走行と高度な作業の自動化
・気象データと作物の生育状況を分析し、最適な農作業を提案
・24 時間 365 日稼働可能で、労働力不足の解消に貢献
・省エネルギー設計で、環境負荷を低減
・発売日は 2023 年 10 月 1 日、価格は 1 台 980,000 円（税込）
・主なターゲットは、大規模農家や農業法人などの効率化とコスト削減を求める農業事業者

> 指示に背景や目的を明確に伝えます。

35 Copilot がプレスリリースの素案を作成

> 役割設定をすることで、専門的でより説得力のある内容を生成してくれます。

🤖 Copilot

プレスリリース

新型ロボット農耕具『Agri Copilot』、農業の未来を切り拓く

2023 年 10 月 1 日 - 本日、革新的な農業用ロボット『Agri Copilot』が新たに発売されました。最先端の AI 技術とロボティクスを組み合わせたこのロボットは、農業の効率化と環境負荷の低減を実現します。

『Agri Copilot』は、以下の特徴を持つことで、農業事業者の皆様の大きな支援となることでしょう。

・自律走行と高度な作業の自動化：Copilot 技術により、24 時間 365 日、人の手を借りずに稼働します。
・気象データと作物の生育状況の分析・最適な農作業を提案し、収穫量の増加に貢献します。
・省エネルギー設計：環境に優しい設計で、持続可能な農業をサポートします。
・価格：1 台あたり 980,000 円（税込）という手頃な価格設定で、コスト削減にも貢献します。

主なターゲットは、大規模農家や農業法人など、効率化とコスト削減を求める農業事業者です。

『Agri Copilot』は、記者会見を通じてメディアからの注目を集め、テレビや雑誌、新聞記事での取材に繋がることを目指しています。このプレスリリースをきっかけに、『Agri Copilot』が農業の未来を変えるゲームチェンジャーであることは広く認識されることを願っています。

お問い合わせ先：[会社名] [住所] [電話番号] [メールアドレス] [ウェブサイト]

以上、『Agri Copilot』の新発売に関するプレスリリースでした。ご興味を持たれた記者の方々は、上記のお問いあわせ先までご連絡ください。

目的の出力形式を例で明示する

> Copilotから期待に添う回答を得るためには、出力形式に具体的な例を入力することが効果的です。

1 出力形式の種類

　出力形式はリスト、表、コードブロックなど複数の形式で指定できます。リスト形式の場合、番号付きリストや箇条書きリストを指定することで、情報を整理し、要点を明確に伝えることができます。

　表形式は、単純表や複合表で、データを体系的に整理し、比較や分析を容易にします。コードブロック形式は、JavaScript のようなプログラミング言語や HTML コードのようなマークアップ言語を出力して、アプリや Web サイトの製作を支援します。

2 出力形式を明示するメリット

　ここでは、表形式で出力を指定する場合の事例を紹介します。

　例えば、「最新のスマートフォンモデルとそのスペックを教えてください」という指示だけでは、情報の提示方法が不明確なため、「表形式で、モデル名、画面サイズ、価格を示してください」と具体的に指定することで、Copilot は要求されている情報とその形式を正確に理解し、適切な回答を生成できます。

　出力形式を事前に指定することで、何度もやり取りを繰り返すことなく、一度のリクエストで目的の結果が得られます。

36 表形式で出力を指示

👤 You

最新のスマートフォンモデルとそのスペックを表形式で教えてください。
出力形式は以下の通りです：
| モデル | OS 種類 | SIM 情報 | 参考リンク |

🪟 Copilot

最新のスマートフォンモデルとそのスペックに関する情報を以下にまとめました。
ご参考になれば幸いです。

表			
モデル	OS 種類	SIM 情報	参考リンク
Xperia 1 V	Android	SIM フリー	SAKIDORI
iPhone15 Pro Max	iOS	SIM フリー	スマホのススメ
Galaxy S23 Ultra	Android	SIM フリー	Samsung Japan
AQUOS R8 pro	Android	SIM フリー	スマホのススメ
Google Pixel 8 Pro	Android	SIM フリー	スマホのススメ
Xiaomi 13T Pro	Android	SIM フリー	スマホのススメ

これらのモデルは、最新の技術と機能を備えており、各々が独自の特徴を持っています。詳細なスペックや価格など、さらに詳しい情報は各参考リンクをご覧ください。また、購入を検討される際は、ご自身の使用目的に合ったモデルを選ぶことをお勧めします。

👍 👎 📋 ⬇ 🔗 Ь ◁»

出力形式を明示することで、一度のリクエストで目的の結果が得られます。

ゼロショットで AI の力を引き出すコツ

ゼロショット学習は、機械学習の手法の１つです。ゼロショット学習を理解して効果的に活用すればアウトプットの質を向上できます。

1 ゼロショット学習とは

ゼロショット学習は、機械学習の手法の1つで、これまで学習したことのないデータに対しても、関連する知識を活用して判断や予測ができるようにする技術です。ここでは「馬」と「しま模様」の学習から "シマウマ" を判定する事例で説明します。

機械学習モデルに大量の「馬」の画像と「しま模様」の画像をもとに、それぞれの特徴を学習させます。その学習済みのモデルに「シマウマ」の画像を入力します。すると、これまで学習した馬の特徴としま模様の特徴を組み合わせて、入力された画像が「シマウマ」であると判断できます。

つまり、シマウマの画像を直接学習させなくても、「馬」と「しま模様」に関連する知識を組み合わせることで、シマウマを正しく認識できる仕組みが「ゼロショット学習」です。

これを応用すると、音声認識では、特定の言語の発音パターンを学習すると、未知のアクセントや方言を持つ話者の音声を正確に認識できます。

2 ゼロショット学習を効果的に活用するコツ

　ゼロショット学習を効果的に活用するためのコツは、複雑なタスクであっても、いくつかの小さなサブタスクに分割することで、効果的に処理できるようになります。

　また、一度で完璧な回答を求めるのではなく、指示と回答を何度も繰り返して、目的に近づけていく「壁打ち式の利用」が効果的です。Copilotとの対話を通じて、徐々に結果を改善していく姿勢が求められます。ゼロショット学習の仕組みを理解して、Copilotから質の高いアウトプットを引き出しましょう。

FIGURE 37 馬としま模様を学習した状態で「シマウマ」を判定

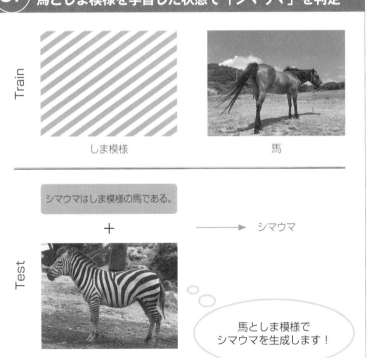

回答の表現や出力方法を伝える

回答の表現や出力方法を伝えることで、Copilotから目的に沿った質の高いアウトプットを引き出せます。

1 文体を指定する

Copilot は、敬体「です・ます」や常体「だ・である」など、様々な文体で回答できます。例えば、「丁寧な敬語で回答してください」と指示すれば、ビジネスシーンに適した丁寧な表現の回答が得られます。一方、「常体『だ・である』調で回答してください」と指定すれば、話し言葉に近く、親しみやすい表現の回答が得られます。

2 口調を指定する

文体だけでなく、口調も指定することで、より適切な回答を得られます。例えば、「社交的でフレンドリーな口調で回答してください」と指示すれば、親しみやすく話しかけるような回答が得られます。一方、「専門的な口調で回答してください」と指定すれば、専門用語を使用した回答が得られます。口調を指定することで、目的や読み手に合ったアウトプットを引き出せます。

3 出力方法を指定する

出力して欲しい要素を「#」で指示する方法もあります。ここでは、例として、最新のスマートフォン情報を SNS で発信するプロンプト文を紹介します。

38 プロンプトの例

> 口調や文体を指定できます。

You

\# 命令書：
あなたは、プロの SNS 編集者です。
以下の制約条件と入力文をもとに、最高の X におけるポストを出力してください。

\# 制約条件：
・文字数は 150 文字以内　　・文章を簡潔に
・ \# 出力文 では文脈に応じて絵文字を使ってください。

\# 入力文：
Copilot を活用して、最新のスマートフォンモデルとそのスペック情報を以下のように簡単にまとめられたことに驚きました。

表

モデル	OS 種類	SIM 情報	参考リンク
Xperia 1 V	Android	SIM フリー	SAKIDORI
iPhone15 Pro Max	iOS	SIM フリー	スマホのススメ
Galaxy S23 Ultra	Android	SIM フリー	Samsung Japan
AQUOS R8 pro	Android	SIM フリー	スマホのススメ
Google Pixel 8 Pro	Android	SIM フリー	スマホのススメ
Xiaomi 13T Pro	Android	SIM フリー	スマホのススメ

\# 出力文：　　\# 冒頭：　　\# 内容

39 プロンプトへの回答例

Copilot

\# 冒頭：最新スマホ速報! Copilot が選ぶ、注目の SIM フリーモデルをチェック

\# 内容：

Xperia 1 V: 高性能 Android、詳細は SAKIDORI で!
iPhone15 Pro Max: iOS の進化形、スペックはスマホのススメへ!
Galaxy S23 Ultra: Samsung の最先端を体験、情報は Samsung Japan !
AQUOS R8 pro: シャープな視界、詳細はスマホのススメ!
Google Pixel 8 Pro: Google の真髄、スペックはスマホのススメで確認!
Xiaomi 13T Pro: パワフルな性能、詳細はスマホのススメ!

選び抜かれたモデルで、あなたの日常をアップグレード

> 指定に沿った出力もできます。

曖昧さを排除して数字で示す

Copilotを活用する上で、数字を使って明確な指示を出すこと
で回答の精度は向上します。

1 具体的な数字で指示する

「なるべく」「かなり」「短く」「ある程度」のような形容詞を使う
と指示が曖昧になり、回答の精度が下がります。例えば、「なるべ
く短い文章でまとめてください」という曖昧な指示では、Copilot
にとって「なるべく」や「短い」の基準が明確ではないため、回答
の質にばらつきが生じます。そのため、「3文以内、100字程度で
要約してください」のような、具体的な数字を用いることで、
Copilotは明確な目標を持って回答を生成できます。

2 評価軸を与える

評価を求める際にも、数字を用いることが効果的です。「次の記
事タイトルの中でなるべく良いものを選んでください」ではなく、「次
の記事タイトルを『明確性』『独自性』『簡潔性』の観点で5点満点
で評価し、その理由を3つずつ挙げてください」と指示することで、
Copilotは明確な評価基準に基づいて出力できます。

Copilotへ指示する際は、曖昧な表現は避けて、具体的な数字を
用いることが重要です。文字数、文数、段落数、評価点数など、具
体的な指示により、精度の高い結果を得られます。

40 × 曖昧な指示の回答例

> 「なるべく」の
> ような曖昧な表現
> は避けます。

🧑 自分
Copilot の機能や特徴について、なるべく短い文章でまとめてください。

📄 ✏️ ↳

🔷 Copilot
もちろんです。Copilot Pro は、ユーザーの質問に答えたり、会話をしたり
する AI アシスタントです。最新の技術を使用して、情報を提供し、コンテン
ツを生成し、画像を理解することができます。また、Windows OS の操作
を支援する機能も備えています。ユーザーのニーズに応じて、多様な言語で
対話することが可能です。安全でポジティブな体験を提供することを目指して
います。

41 ○ 明確な指示の回答例

> 「3文以内で」「100字
> 程度で」のような具体
> 的な指示を与えます。

🧑 You
Copilot の機能や特徴について、3文以内で 100 字程度で要約してください。

🔷 Copilot
Copilot は、会話型 AI であり、ユーザーの質問に答えたり、情報を提供し
たりします。最新の技術を使用して、知識を更新し、多様なコンテンツを生
成することができます。また、Windows OS の操作をアシストする機能も
備えています。

正確な答えを誘導する

生成AIから正しい答えを引き出すためには、いくつかのコツと
注意点を理解しておく必要があります。

1 ハルシネーションの問題

生成 AI は時として**ハルシネーション**と呼ばれる現象を起こしま
す。これは、実際には知らない情報をあたかも本当かのように答え
てしまうことを指します。例えば、「日本の総理大臣は誰ですか?」
という質問に対し、存在しない人の名前を回答する場合があります。
知識を持っていれば、生成 AI の回答が間違っていると見破れますが、
専門外であれば間違いに気付かず鵜呑みにしてしまう恐れがありま
す。ハルシネーションが起きる主な理由は、生成 AI が大量のデー
タを基に言語モデルを構築しているためです。しかし、学習データ
の中には誤った情報や古い情報も含まれている可能性があります。
結果、これらの誤った情報も学習してしまうため、時として間違っ
た回答を生成してしまうのです。

2 ハルシネーションを防ぐ

このようなハルシネーションを防ぐためには、文章を生成させる
前に、そのテーマの重要な情報を入力し、「まずこれを読んでおいて」
や 「○○について Web 検索して概要をまとめて」 のような指示を
与えることが効果的です。これにより、生成 AI は事前情報を蓄え
たうえで適切な回答を準備できます。

42 ハルシネーションの問題

事前情報を与えることで適切な回答が得られます。

HALLUCINATION

43 ハルシネーションを防ぐために

事前情報を調べさせておく！

👤 自分

Microsoft Copilot について Web 検索して概要をまとめて

🪟 Copilot

✓ 回答を生成しています…

Microsoft Copilot に関する情報をまとめました。以下がその概要です。

・Microsoft Copilot は、AI を活用して日常のタスクを成長とイノベーションの機会に変える機能を提供します。
・このサービスは、Word、Excel、PowerPoint、Outlook、Teams などの Microsoft 365 アプリと連携して動作し、文書作成、メールの要約、プレゼンテーションの作成などを支援します。
・Copilot は、Mirosoft 365 Personal または Family のサブスクリプションを利用中のお客様に向けて、より速いパフォーマンスと優先アクセスを提供します。
・Copilot for Microsoft 365 は、ビジネス向けに特化されたプランで、組織のデータと大規模言語モデル（LLM）の力を組み合わせて、生産性を高めます。

詳細や最新の情報については、Microsoft の公式サイトをご覧ください。

➡ その後、Copilot に関しての質問に回答してくれます。

　生成 AI は確率的に答えを生成するため、同じ質問に対していつも同じ内容を回答するとは限りません。また、一時記憶機能により、直前の会話の文脈がその後の回答内容に大きく影響します。つまり、生成 AI は質問の文脈を理解し、それに基づいて回答を生成するのです。

　そのため、正確な回答を得るためには、Copilot が適切な情報を参照できるようにすることが重要です。例えば、「先ほど説明した〇〇の手順について、詳しく教えてください」のように、前の会話との関連性を示すことで、Copilot はより的確な回答を生成できます。ただし、GPT-4の場合、日本語で2万字程度を記憶する性能があるとされています。一度に出力できる文章量を日本語で1,000字程度とすると、計算上は20回の対話を繰り返すと、それ以前の内容を忘れていきます。

　したがって、1つのトピックでは1つのテーマで利用し、同一テーマであっても15回から20回程度でトピックを終えることをおすすめします。

　以上のように、正確な答えを誘導するためには、適切な情報を与え、文脈の影響を考慮して指示を与えることが重要です。これらのコツを意識することで、Copilot をより効果的に活用できます。

Copilot Lab で学ぶ

Copilot Labは、Copilotの機能を最大限に活用するためのプラットフォームです。定期的にCopilot Labに訪れて最新のプロンプトを学んでいきましょう。

1 Copilot Lab とは

Copilot Lab では、日常的な場面やビジネス面で活用できるプロンプトが多数紹介されています。これらのプロンプトを活用することで多岐にわたる作業を効率化できます。例えば、Copilot プロンプトの詳細として、「目標」「コンテキスト」「期待値」「ソース」の4つの要素を含む効果的なプロンプトの作成事例が解説されています。また、Copilot Lab は定期的にアップデートされ、最新のプロンプト例や活用テクニックを学ぶ場と言えます。

2 Microsoft 365連携に欠かせないプロンプト

Word、PowerPoint、OneNote、Outlook などのアプリで活用できるプロンプトが豊富に用意されています。例えば、OneNoteで数学のクイズを作成したり、Outlook でメールの草案を作成したり、PowerPoint で画像を追加したりできます。

3 最新情報とアップデート情報を得る

Copilot の最新の更新プログラムに関する情報が定期的に公開されます。例えば、Copilot for Microsoft 365向けの新機能や、Copilot ユーザーからのフィードバックに基づく改善内容が公開されています。

定期的に Copilot Lab をチェックし、最新のプロンプト例やテクニックを学ぶことで、Copilot をより効果的に活用し、業務の効率化を実現できるでしょう。

 Copilot Lab のサービス一覧

強力なプロンプト、1つのクリックだけ

✍️ 自己採点のクイズ
5年生の数学のクイズを作成します。

✉️ HOAにメールで送信する
住宅所有者協会に、私の敷地の南側に新しい柵を建設する許可を求めるメールの草案を作成します。HOA の規則に従って、柵は高さ6フィートで、杉で作られます。

📷 画像を追加する
子犬の画像を追加します。

❤️ 体調を整える
3 月にシアトルでエクササイズを行うための 3 つの野外アクティビティを提案します。必要となる可能性のある備品または料金を含めます。

✍️ 休暇のプレゼンテーションを作成する
[ハワイ] に関するプレゼンテーションを作成します。

❓ 面白い名前をブレインストーミングする
人懐っこいドラゴンについての子ども向けの物語を書いています。ドラゴンに使用できる面白い名前は何ですか？

日常生活やビジネスで使えるプロンプトが多数紹介されています！

出典：https://copilot.cloud.microsoft/ja-jp/prompts

Column

Windows10 が遂に
サポート終了へ

Windows 10のサポートは、2025年10月14日に終了する予定です。サポート終了後、Windows 10を法人で利用する際は、有償のセキュリティ更新プログラム「Extended Security Update (ESU)」の購入が必要です。このサービスは、サポート終了後の最大3年間、セキュリティ更新プログラムの提供を受けられるもので、料金は年々上がる仕組みとなっています。

ESUの料金＊は、1年目が1デバイスあたり約9,200円、2年目が約18,500円、3年目が約37,000円と設定されています。個人ユーザーの場合、公式な発表はまだありませんが、通常はサポート終了後のセキュリティ更新は提供されないため、新しいOSへのアップグレードが推奨されています。

＊ESUの料金…参考URL　https://pc.watch.impress.co.jp/docs/news/1582053.html.

2023年10月31日にリリースされたWindows 11の最新アップデート「23H2」では、150を超える新機能が搭載されました。特に注目すべきは、本書で紹介する「Copilot in Windows」が標準搭載され、自然言語でWindowsの操作が可能になったことです。Copilot in WindowsはWindows 11向けにプレビュー版として提供されています。（2024年5月時点）

また、タスクバーのチャットがTeamsに変更されたり、ペイントアプリにレイヤー機能と背景の削除機能が追加されたりと、利便性を高める様々な改善が行われています。

Windows 11の次期バージョン「24H2＊」のリリースは、2024年

後半に予定されています。アップデートに伴い、いくつかの変更点が予想されています。

*24H2…参考URL　https://www.itmedia.co.jp/pcuser/articles/
　2402/02/news091.html

　また、Windows 11搭載の新たなPCカテゴリー「Copilot+PC」の登場により、生成AIの処理方法に大きな変化が起きています。

　従来は、生成AIを使う際にクラウドサーバーでの処理が主流でしたが、「Copilot+ PC」ではパソコン上での処理が可能になります。このようなローカルでの動作を実現するには、AI処理を担う高性能なNeural Processing Unit（NPU）が必要不可欠です。そこで、「Copilot+PC」の要件として、最低でも40〜45TOPS*のNPU性能が求められています。

*TOPSとは「Tera Operations per Second」の略。1秒間に何兆回の命令を実行できるかを示す。

　「Copilot+PC」のように、生成AIをローカルで使えることには大きなメリットがあります。まず、クラウドサーバーとの通信による遅延がなくなるため、よりスムーズで快適な生成AIの利用が可能になります。

　さらに、セキュリティとプライバシーの観点からも、ローカル処理は大きなメリットがあります。なぜなら、生成AIを利用する際に、データをクラウド上に送信する必要がなくなるからです。機密情報の取り扱いに細心の注意を払う必要があるビジネスシーンにおいても、より安全に活用できると言えます。

　Windows 11は、Copilotの統合によって、これまでにない自然言語でのPC操作を可能にします。また、ユーザーの利便性を高める様々な機能改善も行われています。次期バージョン「24H2」でも、さらなる進化が期待されます。

　Windows 10のサポート終了やWindows 11の新バージョンのリリースなど、今後もWindowsの動向から目が離せません。

CHAPTER

6

Copilot の活用
アイデア基本編

　Copilotは、情報収集や翻訳、メニュー提案、運勢占い、旅行プラン作成など、日常生活のあらゆる場面で活用できます。このCHAPTERでは、日常生活でCopilotを活用する具体的なアイデアを紹介していきます。

情報収集に活用する

Copilotは、インターネット検索を活用して、最新の動向や事例を基に回答するため、情報収集において非常に役立ちます。

1 会話のようなやりとりで情報収集

　Copilot の利点の1つは、Google のような従来の検索エンジンとは異なり、会話形式で質問できる点です。例えば、「国内の Web3 市場の最新のニュースを教えてください」と入力すると、Copilot は関連する最新のニュースを要約し、情報元のリンクも提供してくれます。また、関連したニュース記事のプレビュー画像も併せて掲載されるため、視覚的にも情報を把握しやすくなります。

2 ブラウザ版での便利な情報収集

　Microsoft Edge のブラウザ版 Copilot を使用している場合、気になる情報があればリンクをクリックして、サイト内の情報を要約することも可能です。

　Copilot を活用することで、膨大な情報の中から必要なものを効率的に収集し、新たな気づきを得られます。ただし、Copilot から得られた情報をそのまま鵜呑みにするのではなく、ソース元の情報を確認しながら、批判的に吟味したうえで、最終的な判断を下すことが重要です。情報を上手く活用できるかどうかは、私たち自身に委ねられています。Copilot は強力な情報収集ツールですが、その情報をどのように活用するかは、使う側の責任であることを忘れてはいけません。

45 国内の Web3市場の最新のニュースが知りたい

日本の Web3 市場に関する最新のニュースは以下の通りです：

- パーソルベンチャーパートナーズは、日本円に連動するステーブルコイン「JPYC」を扱う JPYC 株式会社への出資を行いました。この資金調達は、新株予約権（J-KISS 型）を利用して実施されたとのことです [1]。
- デシマファンドは、45億円を調達しました。同ファンドは、海外を目指す国内プロジェクトや日本進出を目指す海外プロジェクトのインキュベーション、および上場トークンへの投資を目的として組成されています。Web3 領域における日本のプレゼンス強化に取り組んでいるとのことです [2]。
- **Iolite（アイオライト）** は、国内唯一の Web3.0 特化型ビジネス誌で、NFT やメタバースなどに関する情報を取り上げています。創業以来、グローバルなブロックチェーンシーンに寄り添ってきた編集部が構成する記事は、投資家や識者の方々に広く購読されているそうです [3]。

これらのニュースは、日本の Web3 市場が活発に動いていることを示しています。さらに詳細な情報や他のニュースが必要であれば、お知らせください。

詳細情報 [1] coinpost.jp [2] coindeskjapan.com [3] --- prtimes.jp +3 その他

👍 👎 📋 ⬇ 🔗 🔊

> 「国内の Web3市場の最新のニュースを教えてください」と入力した結果です。

46 ブラウザ版でページ内を要約

> ページ内の要約ができます。

CHAPTER
6
Copilot の活用アイデア基本編

87

翻訳機能を利用する

Copilotは、高度な自然言語処理技術を活用した「翻訳機能」を備えており、海外の情報を効率的に収集できます。

1 Copilot に英文を貼り付ける

従来の翻訳ツール DeepL のようなサービスでは、翻訳したい文章をもとに全文を翻訳して理解に努めるのが一般的でした。一方で、Copilot は従来の翻訳ツールと異なり、文章の重要なポイントを抽出して箇条書きでまとめたり、要約したりできます。この機能は特に、長い文章の要点を掴む際に有効です。

注意点として、一度に翻訳可能な文字数は4,000文字が上限のため、長い文章は区切ってから翻訳依頼することをおすすめします。

2 海外サイトで要約してもらう

Microsoft Edge のブラウザ版 Copilot を活用すれば、外国のニュースサイトの記事内で直接情報収集が可能です。Web ページの内容を Copilot が解析し、質問に対して適切な回答を生成します。

具体的には、対象の Web ページにアクセス後、右上にある Copilot ボタン（または Ctrl + Shift + . のショートカット）を押します。そして、「ページの概要を生成する」のボタンがあるのでクリックすると、ページ内の記事について、要点をわかりやすくまとめて教えてくれます。

これにより、外国語の記事を読む際の心理的なハードルを引き下げられます。Microsoft Edge と Copilot を組み合わせることで、外国語の Web ページを読む際の言語の壁をなくし、効率的に情報を収集できます。

47 ブラウザ版でページ内を要約引用

外国語の記事も
翻訳＆要約して
くれます！

夕飯のメニューを提案してもらう

Copilotでメニューの献立を考える場合は、Copilot GPT
「Cooking assistant」がおすすめです。利用する際は、事前に
Copilot GPT一覧から「Cooking assistant」を選択しましょう。

1 条件に沿ったメニューを提案

毎日の夕飯のメニューを考えるのは、食事の支度をする方にとっ
て悩みの種ではないでしょうか。家族の好みや栄養バランスを考え
ながら、飽きのこないメニューを考え続けるのは大変な作業です。
そんな時、**Cooking assistant** を活用してみてはいかがでしょうか。

家族構成や子どもの好み、アレルギー、食事制限の有無などの情
報を考慮して、家族みんなが満足できる夕飯のメニューを提案して
くれます。

例えば、3人家族（大人2人と6歳のお子様1人）の場合、右図の
ようなやり取りができます。

2 レシピの調理の手順を聞く

メニューのアイデア出しを踏まえて、実際に料理を作る際のレシ
ピや手順も Copilot に聞いてみましょう。レシピを尋ねれば、材料
の分量や手順まで丁寧に教えてくれるので、料理が苦手な人でも安
心です。

毎日の献立作りに頭を悩ませている方は、ぜひ Copilot の力を借り
てみてください。Copilot が提案する献立は、家族の好みに合わせて
カスタマイズできるので、飽きのこないメニューが期待できます。栄
養バランスの取れた食事は、家族の健康づくりにも役立つはずです。

48 条件をヒアリングしながら提案してくれる

> 会話しながら
> メニューが
> 決められます。

自分
大人2人と6歳の子ども1人の3人家族です。
家族3人が満足して楽しめる夕食のメニューを提案してください!

Cooking assistant
こんばんは! 家族みんなが楽しめる夕食のメニューを考えましょう。まずお子様が好きな食べ物やアレルギーはありますか? また、ベジタリアンやヴィーガンなどの食事制限はありますか? それとも、特に試してみたい料理のジャンルや食材はありますか? 教えていただけると、よりよい提案ができます。

自分
子どもはブロッコリーとトマトが好きです。一方で、大豆と小麦アレルギーです。和食のメニューを提案してください!

Cooking assistant
お子様の好みとアレルギーに配慮した和食メニューを考えますね。では、料理の腕前はいかがでしょうか? 簡単なものから少し手の込んだものまで、どの程度のレシピをお探しですか?

自分
簡単な和食レシピを教えてください。

Cooking assistant
大豆と小麦を使わない簡単な和食レシピとして、鶏肉の照り焼きとブロッコリーのおひたしをお勧めします。鶏肉の照り焼きは、鶏もも肉を使って甘辛いタレで焼き上げ、ブロッコリーのおひたしは、茹でたブロッコリーに和風のだしをかけるだけで完成します。どちらもお子様にも喜ばれる味ですよ。

49 レシピや調理の手順を聞く

> 材料の分量や
> 手順など詳細に
> 教えてくれます。

自分
ブロッコリーのおひたしの作り方が知りたいです!

Cooking assistant
もちろんです! ブロッコリーのおひたしは、シンプルでヘルシーな和食の一品です。こちらが基本的な作り方です:
ブロッコリーのおひたし
材料
・ブロッコリー:1株 ・だし汁:100ml ・醤油:大さじ1 ・みりん:大さじ1
手順
1. ブロッコリーを小房に分け、茎の皮を薄くむきます。
2. 沸騰したお湯に少量の塩を加え、ブロッコリーを入れて色が鮮やかになるまで約1分茹でます。
3. 茹で上がったら、冷水にとって色止めをし、水気をしっかりと切ります。
4. だし汁、醤油、みりんを合わせておひたしのタレを作ります。
5. ブロッコリーにタレをかけ、冷蔵庫で冷やしてからお召し上がりください。
お好みで、かつお節やごまをトッピングすると、風味が増して美味しくなりますよ。
お子様にも喜ばれる一品になると思います。

今日の運勢を占ってもらう

Copilotは情報収集や文章作成だけでなく、運勢を占うことも
できます。

1 簡単な運勢占い

　Copilot に運勢を占ってもらうのは簡単です。スマホアプリで「運
勢を占ってください」と話しかけるだけで、その日の運勢を教えて
くれます。

2 詳細な運勢を占う

　この基本的な運勢占いに加えて、より詳細な占い結果を得ること
もできます。Copilot は、詳しく占うために必要な情報を聞いてく
れます。

　例えば、「生年月日」を伝えることで、星座や干支に基づいた運
勢を占ってもらえます。また、仕事、恋愛、健康など、特に気にな
る「分野」を指定することで、その分野に特化した運勢を教えてく
れます。

　例として、「1990年5月10日生まれで、仕事の運勢を占ってく
ださい」と指示した場合の回答を右図で紹介します。

　Copilot の占いを上手に活用することで、毎日の生活にちょっと
した楽しみと気づきを加えることができるでしょう。自分に合った
アドバイスを取り入れながら、充実した日々を送ってください。た
だし、あくまでも Copilot による占いは参考程度に留め、重要な決
定は自分の判断で行うことが大切です。Copilot の占いを楽しみつ
つ、自分の人生は自分で切り拓いていきましょう。

50 簡単な占い

👤 自分

運勢を占ってください。

今日の運勢も
簡単にわかります！

🔷 Copilot

今日のあなたの運勢は、新しい出会いやチャンスに恵まれる日となりそうです。
思いがけない幸運が舞い込むかもしれませんので、心を開いて新しいことにチャレンジしてみてください。ただし、焦らずに、一歩一歩確実に進むことが大切です。
運気を上げるためには、明るい色の服を着ると良いでしょう。また、人とのコミュニケーションを大切にすることで、さらなる良いエネルギーが得られそうです。

51 詳細な占い

詳細情報からの
占いもできます。

👤 自分

1990 年 5 月 10 日生まれで、仕事の運勢を占ってください。

🔷 Copilot

1990年5月10日生まれのあなたの仕事運は、今後の展開に期待が持てる時期です。新しいプロジェクトや責任ある役割を任される可能性があります。チームワークを大切にし、コミュニケーションを活発にすることで、仕事での成功が期待できます。また、自己啓発にも力を入れると良いでしょう。学びを深めることで、キャリアアップにつながるヒントを得られるかもしれません。

ただし、これは一般的な傾向であり、個人の努力や状況によって結果は大きく変わることがあります。自分自身の直感や判断を信じ、前向きな姿勢で取り組むことが大切です。

旅行や休日の計画を立ててもらう

Copilotで旅行の計画を立てる場合は、Copilot GPT「Vacation planner」がおすすめです。利用する際は、事前にCopilot GPT 一覧から「Vacation planner」を選択しましょう。

1 基本情報を入力するだけで最適な旅行プランを提案

Vacation planner の使い方はとてもシンプルです。旅行の目的地や出発日、滞在期間、予算などの基本情報を Copilot に伝えるだけで、あなたの要望に合わせた最適な旅行プランを提案してくれます。子連れ旅行に適したホテルやアクティビティ、効率的な観光ルートなど、旅行代理店のようなヒアリングによりプランを瞬時に作成できます。本節ではハワイやパリ旅行の計画作成を事例で紹介しています。

2 対話を重ねて理想の旅行プランを実現

「Vacation planner」が提案した旅行プランは、あくまでも叩き台です。もしプランに不満な点があれば、追加の要望や質問を伝えましょう。ホテルの変更や現地グルメ情報の提供など、あなたのリクエストに応じてプランを修正してくれます。このようにユーザーと Copilot が対話を重ねることで、徐々に理想の旅行プランを実現できます。

Copilot の「Vacation planner」を活用すれば、旅行計画の作成にかかる時間と手間を大幅に減らせます。「Vacation planner」を活用して自分だけのオリジナル旅行プランを手に入れて、素敵な休日を過ごしてみてはいかがでしょうか。

52 パリ旅行を計画する

🧳 Vacation planner

もちろんです、パリへのご旅行について、以下のような提案が可能でございます。

出発日：2024 年 6 月 1 日 期間：4 泊 6 日 費用：¥700,000 円

✈ フライト情報：
・航空券がオンラインでの予約が可能です。詳細は連絡ください。

🏨 ホテル情報：
・パリには様々なホテルや宿泊施設がございます。お客様の予算と希望に応じて、最適な宿泊先を提供いたします。

☀ 天気予報：
・2024 年 6 月 1 日のパリの気温は最高 26℃、最低気温 21℃となっております。

🎭 アクティビティ：
・ミュージアムパス
・エッフェル塔登頂
・リバークルーズ の他、多彩なショップ

Vacation planner
があれば旅行の
計画もすぐ立てられ
ます！

53 ハワイ旅行の回答例

ご予算 70 万円を考慮に入れつつ、以下のようなプランを考えてみました：

1. **航空券**：往復航空券は、エコノミークラスでお一人様 15 万円からご用意可能です。
2. **宿泊**：4 つ星ホテルでの 4 泊分の宿泊券は、お一人様 20 万円からとなります。
3. **アクティビティ**：ハワイの有名なアクティビティ（サーフィンレッスン、ヘリコプターツアーなど）に参加するための費用 10 万円を見積もります。
4. **食事**：現地での食事には、お一人様 1 日あたり約 5 千円から 1 万円を見込んでいます。

予算 70 万円の
ハワイ旅行を
計画します。

CHAPTER
6
6

画像から検索する

画像から検索する機能は、Copilotのマルチモーダル検索機能
の1つであり、様々な場面で活用できます。ここでは、画像検索の
活用方法について、具体的な事例を交えて解説します。

1 画像検索の活用用途

　画像検索は、オンラインショッピングや旅行、教育など、様々な
シーンで活用できます。例えば、オンラインショッピングでは、気
になる商品の画像をアップロードして、Copilot がその画像を解析
し、同じブランドの類似デザインの商品や、他ブランドの似たよう
なデザインの商品を提案してくれます。

　また、画像検索は、教育の場面でも役立ちます。歴史的に有名な
写真をアップロードすると、Copilot はその写真が撮影された状況
や背景、写真に写っている人物などの情報を提供します。さらに、
その写真に関連する歴史的事実や出来事について、理解度を確認す
るための質問を生成することもできます。

2 海外旅行で活躍

　画像検索は、特に海外旅行で大いに活躍します。有名な観光地の
写真をアップロードすると、Copilot はその画像を解析し、観光地
の歴史や見どころ、周辺のおすすめスポットなどの情報を提供しま
す。また、レストランやホテルを訪れた際に、メニューやパンフレッ
トの写真を読み込ませることで、母国語への翻訳や、メニューに載っ
ている料理の説明、ホテルの設備やサービスに関する情報を教えて
くれます。

Copilot の持つ画像検索の機能により、言語の壁を越えて、世界中の人々が知識や経験を共有できます。Copilot の画像検索は、私たちの情報収集のあり方を大きく変えていきます。

54 タイ料理のメニューから検索

👤 自分

タイのチェンマイに旅行しています。こちらの画像の料理を食べに行きたいです。
料理を楽しめるオススメのレストランと併せて料理の内容を説明してください。

画像検索でより具体的な回答が得られます。

出典：https://www.blockdit.com/posts/6551b57019c7b5edc9990754

55 料理内容とおすすめレストランの紹介

メニューに載っている料理について説明してくれます。

🌀 Copilot

✓ 画像を分析しています：プライバシーを保護するために顔がぼやける可能性があります
✓ 回答を生成しています…

チェンマイで楽しめる料理は、カオソーイと呼ばれるタイ北部の伝統的な麺料理です。この料理は、ココナッツミルクがたっぷり入ったカレースープに、茹で麺と揚げ麺を合わせたもので、お肉や野菜をトッピングして楽しむ一品です [1]。カオソーイのスープは、辛味とまろやかさが特徴で、赤たまねぎやライム、パクチーなどのトッピングで味のバリエーションを楽しむことができます。

チェンマイでカオソーイを楽しめるおすすめのレストランは、以下の通りです：

- **Khao Soi Khun Yai:** 地元の人々にも人気のある、本格的なカオソーイが味わえるレストランです。
- **Khao Soi Mae Sai:** こちらも地元で評判のカオソーイを提供しているお店です。
- **B Samcook Home 16:** タイ北部料理を現代的なアレンジで楽しめるレストランで、カオソーイもメニューにあります。

これらのレストランは、チェンマイのグルメ・レストラン・ランキングで高い評価を受けています。訪れる際は、最新の営業情報や予約状況を確認することをおすすめします。美味しいカオソーイをぜひお楽しみください！

7 生活や日頃の悩みを相談する

人には言えない悩みをCopilotに相談してみましょう。思いも
よらない素晴らしい回答が得られるかもしれません。

1 悩み相談の目的と対象者を明確にする

　Copilot に効果的に悩みを相談するには、まず目的を明確にし、対象者の属性を具体的に設定することが大切です。例えば、キャリアの悩みなら「現在の会社に残るか、転職や独立するか、それぞれのメリットデメリットをもとにアドバイスが欲しい」と目的を明示し、「食品メーカーの会社に勤めて10年目、妻子持ちの3人家族の35歳のサラリーマン」といった対象者の詳細を伝えましょう。

2 言語とトーンの選定とプロンプトの調整

　Copilot は様々な立場に立って対話できるため、目的に合わせて役割を設定します。キャリア相談なら「優秀なキャリアコンサルタントとしての専門的な視点から、客観的で丁寧な言葉でアドバイス」を求めるのが適切でしょう。生成された文章が期待に添わない場合は、プロンプトを微調整して再テストします。例えば、家族とのコミュニケーションにおいてより具体的なアドバイスが欲しければ、追加の質問を投げかけましょう。

　このように、悩みの内容を明確に伝え、Copilot を上手に活用することで、日々の悩み解決に役立てられます。Copilot との対話から新たな気づきや視点を得て、悩みを解決していきましょう。

56 キャリアの悩みを相談

目的や対象者の
属性を明確にする
ことがポイント
です。

👤 自分
食品メーカーの会社に勤めて 10 年目、妻子持ちの3人家族の 35 歳のサラリーマン
です。
現在の会社に残るか、転職や独立をするか、それぞれのメリットデメリットをもとにア
ドバイスが欲しいです。優秀なキャリアコンサルタントとしての専門的な視点から、
客観的で丁寧な言葉でアドバイスをお願いします。

🤖 Copilot
現在の会社に残ること、転職、または独立をすること、それぞれの選択肢にはメリッ
トとデメリットがあります。以下に、それぞれの選択肢についての考慮点を挙げてみ
ます。

現在の会社に残るメリット：
安定性：長期間勤めていることで、会社の文化や業務に精通しており、安定した収
入とキャリアパスが見込めます。
福利厚生：既存の福利厚生や退職金制度などの利点を享受できます。
家族の安定：家族が現在の生活に慣れている場合、大きな変化を避けることができ
ます。

現在の会社に残るデメリット：
成長の限界：同じ環境での仕事は、新しいスキルや経験を得る機会が限られている
可能性があります。
昇進の難しさ：昇進の機会が少ないか、競争が激しい場合があります。

転職のメリット：
新たなスキル習得：新しい環境で働くことで、異なるスキルや知識を身につけるこ
とができます。

---

57 プロンプトを微調整して相談

追加の質問を
することで、より
実践的な回答を
得られます。

👤 自分
妻と1人の子どもがおり、家族の理解と支援を得ることが重要だと考えています。転
職や独立を検討していることを家族に伝える際の注意点や、円滑なコミュニケーショ
ンを図るための具体的な方法について、アドバイスをいただけますでしょうか。

🤖 Copilot
家族に転職や独立を検討していることを伝える際は、以下の点に注意してコミュニ
ケーションを図ることが重要です。

伝える際の注意点：
冷静に話す：情緒的にならず、落ち着いて自分の考えを伝えます。
丁寧に状況を説明する：転職や独立を考えるに至った理由、それによって生じる変
化を具体的に説明します。
相談のスタンスを崩さない：決定事項として伝えるのではなく、家族の意見を求め
る形で話し合いを持ちます。

創作活動に利用する

物語の執筆から音楽の作詞や作曲まで、Copilotは創作活動でも力を発揮します。

1 多彩な創作活動で Copilot が活躍

Copilot は、物語の執筆においてストーリーやキャラクターづくりを支援し、作家の創造力を刺激します。詩の作成では、特定のテーマや感情に基づいてオリジナルの詩を生み出せます。音楽の作詞では、メロディに合わせた歌詞を考えたり、既存の曲に新しい歌詞を加えることが可能です。さらに、アートワークではビジュアルアートのプロジェクトにおいてアイデアの発想やコンセプトづくりを支援し、ゲームデザインではストーリーラインやキャラクターのアイデアを提供します。

2 Copilot で作詞作曲

中でも注目すべきは、音楽の創作活動における Copilot の活用です。プラグイン機能の音楽生成 AI「**Suno**」との連携により、Copilot 上でプロンプトから楽曲の生成が可能です。Suno を利用すれば、作詞作曲の才能がなくても、作ってほしい音楽のイメージを伝えるだけで、そのイメージに沿った歌詞と楽曲が生成できます。また、BGM だけでなく音声合成によって歌声も再現されるため、唯一無二のオリジナルソングが簡単に作成できるのです。

具体的な手順としては、Copilot で「Suno」のプラグインを有効にして作曲のテーマを入力するだけで、オリジナルソングの歌詞と楽曲が自動生成されます。

あなたも、Copilot を味方につけて、自分だけの表現を楽しんでみてはいかがでしょうか。

58 楽曲のテーマを入力するだけで音楽を生成

👤 自分
日本の四季をテーマにした音楽の作詞作曲をお願いします。

🤖 Copilot

完了しました！曲を楽しんでください

[Verse]
君と歩く　四季抱くこの街で
桜舞う春に　夏の陽燃える
木枯らし秋に　冬の星輝く
遠く遠く　この歌　届けている

作詞作曲も
できてしまう！

[Chorus]
風よ　伝えて　この想いを
心に　響く　音色のメロディ
四季の歌　奏でる　この旋律
永遠に続く　未来のカケラ

風の唄 (Song of the Wind)

お待たせしました。日本の四季をテーマにした音楽の作詞が完成しました。
以下がその歌詞です：

[Verse]
　君と歩く　四季抱くこの街で
　桜舞う春に　夏の陽燃える
　木枯らし秋に　冬の星輝く
　遠く遠く　この歌　届けている

MP4形式のファイ
ルでダウンロード
可能。共有リンク
も生成できます。

[Chorus]
　風よ　伝えて　この想いを
　心に　響く　音色のメロディ
　四季の歌　奏でる　この旋律
　永遠に続く　未来のカケラ

この歌詞を元に音楽を作成することも可能です。もし音楽の作成をご希望で
あれば、お知らせください。また、他にもご要望があれば、お気軽にお問い
合わせください。♫

出典：https://sl.bing.net/cbSUAheAayG

クリエイティブな画像を作成する

Copilotで画像を生成する場合は、Copilot GPT「Designer」がおすすめです。利用する際は、事前にCopilot GPT一覧から「Designer」を選択しましょう。

1 テキスト入力だけでクリエイティブな画像を生成

Copilotは、テキストから画像を生成する機能 DALL-E 3を搭載しており、クリエイティブな画像作成にも役立ちます。指定したスタイルや雰囲気に合わせた画像を自動で生成できます。例えば、「水彩画風の夕日」や「サイバーパンクな都市の風景」といったキーワードを入力するだけで、その内容を反映したユニークな画像を作り出せます。アイデア次第で、広告やWebサイトのバナー、ブログ記事のアイキャッチ画像など、様々なビジュアルコンテンツの制作に活用できます。

2 企業の画像生成 AI を活用したプロモーション事例

画像生成AIは、企業のプロモーション施策にも取り入れられ始めています。アサヒビール株式会社は、『アサヒスーパードライ ドライクリスタル』のブランドサイト内で、「Create Your DRY CRYSTAL ART」という AIアート作成サービスを期間限定で公開しました。ユーザー自身の画像と任意テキストを入力すると独自の画像生成 AI がそれらを基にオリジナルのアート画像を生成する仕組みです。最先端技術を活用した体験型プロモーションにより、商品の認知拡大や購入意欲の喚起に繋げる狙いがありました。ただし、画像生成 AI を活用する際は、ライセンスや著作権の規約に十分注

意が必要です。**Image Creator from Microsoft Designer** など、商用利用に制限があるサービスもあるため、利用規約を事前によく確認しておくことが重要です。Copilot の DALL-E 3を適切に活用することで、インパクトのあるビジュアルコンテンツを効率的に制作し、様々な場面で創造性を発揮できるでしょう。

FIGURE 59 サイバーパンクな都市の風景を生成

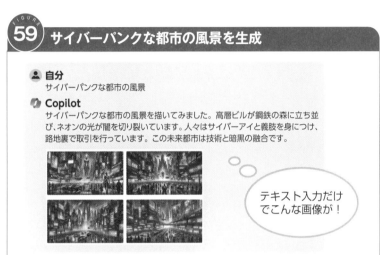

FIGURE 60 「Create Your DRY CRYSTAL ART」

CHAPTER
6
10

最新情報をいち早くキャッチする

Copilotをはじめとする生成AIは日々進化を続けており、最新情報をキャッチアップすることが使いこなすために重要です。Copilotに関する最新情報を効率的に収集する方法を紹介します。

1 コミュニティへの参加

LINE オープンチャットは、特定のトピックに関心を持つユーザーが集まり、情報交換を行うための場です。Copilot に関するオープンチャットに参加することで、他のユーザーとの知識共有や最新情報の入手が可能になります。

例えば、**生成 AI オープンチャット**では、Copilot だけでなく、他の生成 AI に関する情報交換も行われています。このようなコミュニティに参加することで、Copilot の新機能や活用事例、トラブルシューティングなどを学べます。

2 Google アラートを活用した最新情報の収集

Google アラートは、指定したキーワードに関連する最新の Web ページを定期的にメールで通知してくれるサービスです。「Copilot」というキーワードで Google アラートを設定することで、Copilot に関する最新のニュースやブログ記事を自動的に受け取れます。

例えば、「Copilot https://www.itmedia.co.jp/news/」や「Copilot https://prtimes.jp/」のようにキーワードと URL を指定することで、指定した URL で Copilot に関する新しい記事が公開された際に、メールで通知を受け取れます。この方法を使えば、能動的に情報を探しに行かなくても、最新の情報を見逃すことなく

キャッチアップできます。

　これらの方法を組み合わせることで、Copilot に関する最新情報を効率的に収集し、活用の幅を広げることができます。日々進化する Copilot の可能性を最大限に引き出すために、情報収集を仕組化することをおすすめします。

F I G U R E 61 オープンチャット

特定のトピックに関心を持つユーザーが集まって情報交換します。

F I G U R E 62 Google アラートでキーワードと対象 URLを設定

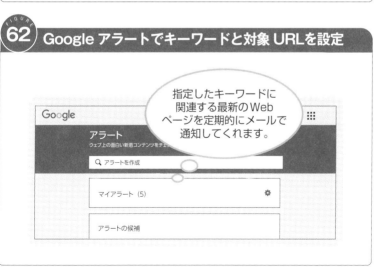

指定したキーワードに関連する最新の Webページを定期的にメールで通知してくれます。

生成AIでハイクオリティ動画を創れる時代

　生成AI技術の発展は目覚ましく、その応用範囲は日々拡大しています。特に注目を集めているのが、テキストや画像から動画を生成する技術です。今回は、その代表的なサービスであるOpenAIの最先端の動画生成AIモデル「**Sora**」とMavericksの対話型動画生成AI「**NoLang**」を紹介します。

　OpenAIは2024年2月16日に、文章から動画を生成するAI「Sora」のサービス概要を公開しました。2024年内にリリース予定のSoraは、テキストの指示に基づいてリアルで高品質な動画を生成できます。画像やテキストプロンプトを入力して、現実に近い高度な動画を最大1分間の尺で作成可能です。

　驚くべき機能の1つは、2つの異なる動画を繋げて、最初の動画のシーン内に他の動画を合成するような加工ができることです。この技術は、教育、エンターテイメント、マーケティングなど、多岐にわたる分野での応用が期待されています。

　実は「Sora」はハリウッドでも活用される可能性を秘めています。「Sora」を開発するOpenAIの最高執行責任者であるブラッド・ライトキャップ氏はハリウッドを訪れ、スタジオ、タレント・エージェンシー、メディア・エグゼクティブに対して、動画生成AI「Sora」の実力を披露したことが報じられています。*

　中でも、アメリカの著名な脚本家タイラー・ペリーは、Soraの実力を目の当たりにし、アトランタにある8億ドル規模のスタジオ拡張計画を一時的に保留にしたほどです。「Soraができることを聞くのと、実際にその能力を見るのとでは大違いで、本当に衝撃的だった」と述べています。

　ビジネスマンとしてこの技術の可能性を感じる一方で、業界で働く人々のことを心配しているとのことです。

　OpenAIはこれまでにも複数回にわたってハリウッドとの話し合いをしています。

　AIが業界に与える影響は予想されていたことですが、昨年のハリウッドの脚本家ストライキに関連する交渉でも、その影響が顕著に表れていました。動画生成AIは、映画業界に大きな変革をもたらす可能性を秘めているのです。

　また、Mavericksという会社が開発したサービス「NoLang」は、テキストから即座に1分程度の解説動画を生成できます。使い方は非常にシンプルで、動画にしたいテキストを入力するだけで、わずか3秒で解説動画が生成されます。

　この技術は、企業のFAQ動画や授業のサマリー動画など、様々な用途に活用できます。また、Googleアカウントでログインすれば、作成した動画のダウンロードや編集も可能です。さらに、Chrome拡張機能を使えば、Webページの要約動画も簡単に作成できます。

　動画生成AIは、私たちの生活やビジネスに大きな影響を与える可能性を秘めています。「Sora」や「NoLang」のような革新的なサービスが登場したことで、動画制作のハードルが大幅に下がり、誰もが簡単に動画を作成できる時代が到来しました。動画生成AIが開く未来への扉に、今後も目が離せません。

＊参考　https://deadline.com/2024/03/openai-heading-hollywood-pitch-revolutionary-
　　　　sora-1235866748/
　　　　https://www.bloomberg.com/news/articles/2024-03-22/openai-courts-
　　　　hollywood-in-meetings-with-film-studios-directors

MEMO

ビジネスにおける Copilot の 活用アイデア

Copilotは、文書作成や会議のアジェンダ整理、議事録作成、新たな企画立案など、ビジネスにおける様々な場面で活躍します。Copilotを効果的に活用することで、限られた時間の中で、仕事効率を劇的に高められます。このCHAPTERでは、ビジネスシーンでのCopilotの活用方法を紹介していきます。

ファイルを共有する

Copilotを活用して作成したWordやPowerPointなどの資料
は、Microsoft 365のファイル共有サービス「OneDrive」を
使って複数メンバーと共有できます。

1 共有リンクの生成とファイル共有

　Copilotを使って作成したファイルを「**OneDrive**」に格納して、「共
有」ボタンをクリックすると、共有リンクが生成されます。このリ
ンクを取引先や同僚にメールで送信したり、チャットやSNSに貼
り付けたりすることで、ファイルを簡単に共有できます。

　共有リンクを生成する際には、リンクの種類を選択できます。「閲
覧のみ」のリンクでは、相手はファイルを閲覧することはできます
が、編集することはできません。一方、「編集可能」のリンクでは、
相手もファイルを編集できます。用途に応じて適切なリンクの種類
を選択しましょう。

2 共有設定とセキュリティ

　Microsoft 365の有料プラン(**Microsoft 365 Family/Personal**)
を使用している場合は、共有リンクにパスワードを設定したり、リ
ンクの公開期限を設定したりできます。

　また、共有する相手を細かく設定し、ユーザーごとに「閲覧のみ」
や「編集可能」などの権限を設定できます。*

＊参考　https://www.microsoft.com/ja-jp/microsoft-365/onedrive/compare-onedrive-plans

Copilot を活用して作成した資料をオンラインで共有する際は、用途に応じて適切な共有設定を行うことが重要です。Microsoft 365の機能を活用することで、効率的にファイルを共有できます。次項より Copilot を活用した資料作成などビジネスでの活用方法を紹介していきます。

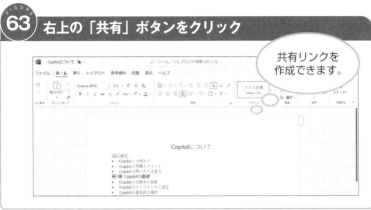

FIGURE 63　右上の「共有」ボタンをクリック

共有リンクを
作成できます。

FIGURE 64　共有範囲などのリンク条件の設定

共有リンクの
条件設定が
できます。

← リンクの設定
図解ポケット ビジネスを最適化！Copilotがよくわかる本...

リンクを共有する

⊕ すべてのユーザー
誰とでも共有できます。サインインは必要ありません　◉

⊛ 特定のユーザー ⓘ　　○

その他の設定

✎ 編集可能　　∨

▦ YYYY/MM/DD　　＋

🔒 パスワードの設定　　＋

適用　　キャンセル

文書を作成する

Copilotは、企業の社内報・広報担当者をはじめとするビジネスパーソンにとって、原稿やビジネス文書の作成にかかる負担を軽減するツールとして注目されています。

1 文章作成で時間を節約

リンクアンドパートナーズが提供する調査PRサービス「PRIZMA」によるインターネット調査では、広報担当者が考える生成AIの活用方法として、「社内報の作成」と「商品パッケージの文章作成」がトップ2に挙がっています。この結果から、生成AIを活用することで業務の効率化を図りたいと考えていることがわかります。

特に、社内報は、社員向けのイベントや社員の活躍を伝える媒体ですが、記事の企画、執筆、編集など、一連の作業に多くの時間がかかります。この一連の業務にCopilotを活用することで、作業時間を大幅に短縮できます。*

2 Copilot による文章の叩き台を作成

Copilotを活用すれば社内イベントやお知らせなどの概要を入力するだけで、文章の叩き台を作成してくれます。

その叩き台をもとに内容を編集して最後の校正までCopilotを活用すれば、社内報のような広報の文章作成にかかる時間と労力を大幅に削減できます。社内報や商品紹介の文章など、様々な文章作成をサポートしてもらいましょう。

---

*参考　https://prtimes.jp/main/html/rd/p/000000059.000064362.html
　　　（調査日：2023年12月7日〜8日）

FIGURE 65 「暑気払いの社内飲み会案内状」の作成事例

👤 自分

暑気払いとして社員の親睦を深めるための飲み会を開催します。
次の内容をもとに案内状の作成をお願いします。

日時：2024年7月5日（金）19時〜21時
場所：日本橋の○○ビアガーデン
会費：部長以上：8,000円、課長：6,000円、係長：4,000円、一般社員：3,000円、その他：2,000円
参加方法：専用フォームより申し込み
問い合わせ：記載のメールアドレスに連絡
返信期限：開催2週間前（2024年6月21日（金）18時）
キャンセルの場合の対応：当日のキャンセルは会費を全額負担

🟦 Copilot

以下は、指定された内容に基づいて作成した暑気払いの社内飲み会イベントの案内状の例です：

株式会社○○ 社内イベント案内

皆様、暑い夏の到来を前に、日頃の疲れを癒やし、社員同士の親睦を深めるための「暑気払い社内飲み会」を開催いたします。この機会に、楽しいひとときを共に過ごしましょう。

【イベント詳細】

日時：2024年7月5日（金）19時〜21時
場所：日本橋の○○ビアガーデン
会費：

　部長以上：8,000円
　課長：6,000円
　係長：4,000円
　一般社員：3,000円
　その他：2,000円

【参加方法】専用フォームよりお申し込みください。フォームは社内ネットワーク上に設置してあります。

【問い合わせ】ご不明点がございましたら、以下のメールアドレスまでお問い合わせください。[メールアドレス]

【返信期限】参加の可否は、2024年6月21日(金)18時までにお知らせください。

【キャンセルポリシー】当日のキャンセルは会費を全額負担とさせていただきます。予めご了承ください。

皆様のご参加を心よりお待ちしております。

株式会社○○ 人事部

> 文章の叩き台の
> 作成や校正も
> してくれます。

会議の内容を整理する

会議におけるアジェンダの整理や議事録の作成には多くの時間と労力を要します。ここでは、Copilotを活用した会議の準備と議事録作成を効率化する方法を紹介します。

1 会議のアジェンダ洗い出しと整理

会議を効率的に進めるためには、事前にアジェンダを明確にしておくことが重要です。Copilotを活用することで、会議の目的やアジェンダを洗い出し、整理できます。会議の目的をCopilotに入力し、アジェンダ案を作成してもらい、必要に応じて修正や追加します。そして、整理されたアジェンダを参加者へ事前に共有し、会議の準備を促します。この節では新商品開発会議に向けたアジェンダ作成の例を紹介します。

2 会議の議事録整理と要約

2023年にキヤノンマーケティングジャパン株式会社が行った調査によると、ビジネスパーソンは年間約320時間を議事録作成に費やしており、67%の人が議事録作成を負担に感じていることが明らかになりました。近年、オンライン会議が増加傾向にあり、その負担はさらに大きくなっています。*

そこで、Copilotを活用して議事メモから議事録を作成します。その議事録をもとに、追記や修正を加えることで、質の高い議事録を短時間で完成できます。

---

*参考　https://prtimes.jp/main/html/rd/p/000000939.000013943.html

このように、Copilot を活用することで、会議のアジェンダ整理や議事録の作成において時間と労力を大幅に削減できます。

FIGURE 66 アジェンダを作成

自分
来週に新商品企画に向けた会議を実施します。
会議の目的やアジェンダ策定に向けて素案の準備をお願いします。

Copilot
もちろん、新商品企画に向けた会議の素案を準備いたします。以下は会議の目的とアジェンダの草案です：

会議の目的
- 新商品のコンセプトと市場ニーズの確認
- ターゲット顧客とポジショニングの明確化
- 製品開発のタイムラインとマイルストーンの設定
- リスク管理と品質保証の計画

会議のアジェンダ
1. **開会の辞**
   参加者の紹介　　　　会議の目的と期待結果の共有
2. **市場分析の報告**
   競合他社の分析　　　消費者トレンドのレビュー
3. **新商品のコンセプトプレゼンテーション**
   コンセプトの概要　　顧客への価値提案
4. **ターゲット顧客とポジショニング**
   ターゲット市場の特定　ブランドポジショニングの戦略
5. **開発計画とスケジュール**
   開発フェーズの概要　　主要なマイルストーンと期限
6. **リスクと品質管理**
   潜在的なリスクの識別
   品質保証の基準とプロセス
7. **クロージング**
   次のステップの確認
   質疑応答
   会議のまとめとクローズ

会議のアジェンダの洗い出しと整理もできます。

この草案を基に、具体的な内容やプレゼンテーション資料の準備を進めていただければと思います。何か他にご要望があれば、お知らせください。

新たな企画の立案やアイデアを出す

Copilotは、新たな企画やアイデアを出す際にも大きな力を発揮します。

1 ブレインストーミングにおける Copilot の活用

新たな企画やアイデアを出す際、チームメンバーとの**ブレインストーミング**が重要な役割を果たします。Copilot を活用することで、ブレインストーミングの質を高め、多様なアイデアを引き出せます。具体的には、議論のテーマを Copilot に投げかけ、関連するキーワードや事例、斬新な発想を提案してもらいます。Copilot が示唆するアイデアをもとに、メンバー同士で議論を深め、アイデアをブラッシュアップしていきます。Copilot を活用することで従来の発想の枠を超えたアイデアの創出やアイデア出しのプロセスを効率化できます。本節では農業と**メタバース**を掛け合わせた企画案のアイデア創出を紹介します。

2 企業における活用事例

生成 AI を商品企画に活用する企業が増えています。**セブン - イレブン・ジャパン**は、商品企画プロセスに生成 AI を導入し、企画にかかる期間を最大10分の1に短縮する取り組みを始めました。全店舗の販売データやSNS上の消費者の声を生成AIが分析し、流行やニーズに合った商品の企画書を自動生成します。これにより、消費者のニーズにより迅速に対応し、競争力のある商品を開発できるようになります。*

＊出典　https://www.nikkei.com/article/DGKKZO75854640T01C23A1MM8000/

Copilot を新たな企画やアイデア出しに活用することで、創造性を高め、競争力のある商品やサービスを生み出せます。Copilot を効果的に活用しながら、アイデアの実現に向けて尽力することが求められます。

67 今までにないキーワードの組み合わせによる新アイデア創出

自分
個人農家の所得向上を目的として、農業にメタバースをマーケティングで活用するアイデアを提案してください。

Copilot
農業にメタバースをマーケティングで活用するアイデアとして、以下の提案をいたします：

1. **バーチャル農園ツアー**：農家はメタバース内に自分の農園を再現し、消費者がバーチャル空間で農園を訪れ、作物の成長過程を見たり、農家と直接交流したりできるようにします。これにより、消費者は農産物に対する理解を深め、購入意欲を高めることができます。
2. *インタラクティブな農業体験*：メタバース上での田植えや収穫などの農業体験を提供し、ユーザーが農業の楽しさを学びながら、実際の農産物を購入するオプションを提供します。
3. *デジタルツイン技術の活用*：農園のデジタルツインを作成し、リアルタイムでの作物の状態や成長データを提供します。消費者はこれを通じて、購入する農産物の品質や生産過程を確認できます。
4. **NFT との組み合わせ**：特定の農産物を NFT として発行し、消費者が所有することで、収穫時に実際の農産物を受け取ることができるシステムを構築します。これにより、消費者は農産物の生産に直接関与し、農家の所得向上に貢献できます。
5. **メタバースマーケットプレイス**：メタバース内に専用の市場を設け、消費者がバーチャル空間で農産物を購入できるようにします。これにより、新しい販売チャネルが生まれ、農家の所得向上に繋がります。

これらのアイデアは、農業の可視化と消費者との関係強化により、所得向上に貢献する可能性があります。[1][2][3]

アイデア出しもしてくれます。

企画書を作成する

Copilotを活用することで、企画書作成の時間を短縮し、質の高い提案資料を作成できます。

1 Copilotによる企画書の骨子作成と内容の充実

企画書作成の第一歩は、骨子の作成です。Copilotに企画書のテーマと必要な項目を指示することで、企画書の骨子を自動生成できます。例えば、「メタバースを活用したバーチャル農園ツアー」の企画書を作成する場合、企画の概要、目的、ターゲット、実施方法、予算など、必要な項目をCopilotに伝えます。すると、Copilotがそれらの項目を盛り込んだ企画書の骨子を提案してくれます。

競合サービスの調査や市場分析などもCopilotを活用することで、企画書の内容をより深化できます。Copilotとの対話を通じて、企画書の内容を磨き上げていきましょう。

2 プレゼンテーション資料の作成

企画書の内容が固まったら、それをわかりやすく伝えるための**プレゼンテーション資料**を作成します。**PowerPoint**（ブラウザ版）で、Copilotに資料の作成を指示しましょう。その際、伝えたいポイントや盛り込むべき情報を具体的に伝えることが重要です。Copilotは指示に基づいて、企画書の内容をビジュアル化して資料を作成してくれます。作成された資料をもとに、さらなる改善を加えていきます。必要に応じて、図表の追加や、デザインの調整を指示することで、より効果的な企画書を作成できます。Copilotとの対話を重ねながら、説得力のあるプレゼンテーション資料を完成させましょう。

68 企画書の骨子案

👤 自分

次の内容を基づいて「メタバースを活用したトマト農家のバーチャル農園ツアー」の企画書の作成をお願いします。

基本情報（日付、作成者）	現状の分析と課題点
タイトル	企画内容
サブタイトル（キャッチフレーズ）	スケジュール
背景（ニーズやトレンド）	予算
目的	補足情報
ターゲット	（参考資料、裏付けとなるデータや記事）

🤖 Copilot

以下は、「メタバースを活用したトマト農家のバーチャル農園ツアー」の企画書の例です：

基本情報
- 日付：2024年4月1日 　・作成者：山田太郎

タイトル
- メタバースで繋がる、トマト農家の世界

サブタイトル（キャッチフレーズ）
- 「バーチャル空間で味わう、トマトの真髄」

背景（ニーズやトレンド）
近年、メタバースの技術が進化し、リアルな体験がバーチャル空間で可能になっています。農業分野でも、消費者と生産者の距離を縮める新しい試みが求められており、特に新鮮な食材への関心が高まっています。

目的
この企画は、メタバースを通じて消費者にトマト農園の魅力を直接伝え、農家の理解を深めることを目的としています。

ターゲット
- 農産物に関心のある若年層 　・テクノロジーに興味を持つ消費者
- 農業教育に関わる学校や団体

現状の分析と課題点
現在、多くの消費者は農産物の生産過程を知らず、農家の労働や環境への配慮が見過ごされがちです。この企画は、そのギャップを埋めることを目指します。

企画内容
- メタバースプラットフォーム上でのトマト農園のバーチャルツアー
- 農家の日常やトマト栽培の工程をリアルタイムで体験
- 農家とのQ&Aセッション

スケジュール
- 企画立案：2024年4月1日〜4月15日
- プラットフォーム開発：2024年4月16日〜7月31日
- テスト運用：2024年8月1日〜8月15日
- 正式運用開始：2024年8月16日

予算
- 総予算：500万円
  プラットフォーム開発：300万円　　マーケティング：100万円
  運営費：100万円

補足情報（参考資料、裏付けとなるデータや記事）
- 「メタバースの可能性と農業への応用」（研究論文）
- 「バーチャル体験が変える食の未来」（オンライン記事）

事業計画や数値計画を立案する

Copilotを活用することで、事業計画や数値計画の立案プロセスを効率化し、より現実的かつ実現可能な計画を作成できます。

1 市場分析と財務計画における Copilot の活用

事業計画立案の第一歩は、市場分析と財務計画です。Copilot を活用することで、これらのプロセスを効率化できます。まず、市場分析においては、Copilot に市場のトレンドや競合情報の収集を指示します。例えば、新規でメタバース農園ツアーの事業を立ち上げる場合、「メタバース農園ツアーの潜在的な市場規模を推定するために必要な情報は何ですか?」と質問することで、市場調査に必要な要素を洗い出せます。

次に、財務計画では、Copilot に売上予測やコスト分析の実施を依頼します。「初期投資額の内訳を詳細に教えてください」といった質問に対し、Copilot が適切な計算結果を示してくれます。これらの数値をもとに、事業の収益性や資金繰りを検討していきます。

2 戦略立案と実行計画の作成

市場分析と財務計画が固まったら、次は戦略立案と実行計画の作成です。Copilot に事業目標に合わせた施策の提案を求めることで、資料づくりを効率化できます。例えば、「メタバース農園ツアーの販促戦略を提案してください」と指示すると、ターゲット顧客の分析、販促チャネルの選定、キャンペーン案など、具体的な戦略を提示してくれます。

さらに、実行計画の作成に向けて、Copilot へ「新市場開拓のための行動計画を作成してください」と指示すると、市場調査、営業活動、パートナー開拓など、実行に必要な項目を時系列で整理してくれます。Copilot が提案する計画をベースに、自社の状況に合わせて調整を加えながら、実現可能な計画を完成させていきましょう。

69 販促戦略を提案してもらう

> 戦略立案と
> 財務計画の
> 作成もできます。

👤 自分
メタバース農園ツアーの販促戦略を提案してください!

🔵 Copilot
✓ 回答を生成しています…

もちろんです! メタバース農園ツアーの販促戦略を提案します。以下は、効果的な販促戦略のいくつかです:

1. **デジタル広告キャンペーン:**
   ソーシャルメディア広告:メタバース愛好者をターゲットにした広告を Facebook、Instagram、Twitter などのプラットフォームで実施します。
   Google 広告:メタバース農園ツアーのキーワードで検索されるユーザーに対して広告を表示します。

2. **コンテンツマーケティング:**
   ブログ記事:メタバース農園ツアーの魅力や体験を紹介するブログ記事を定期的に投稿します。
   ビデオコンテンツ:メタバース農園ツアーのプロモーションビデオを作成し、YouTube や TikTok などで共有します。

3. **イベントとコラボレーション:**
   バーチャルイベント:メタバース内で農園ツアーを実施するイベントを開催します。参加者には特別な割引や特典を提供します。
   有名クリエイターとのコラボレーション:有名なメタバースクリエイターやインフルエンサーと協力して、農園ツアーを宣伝します。

4. **口コミマーケティング:**
   顧客の声:農園ツアーに参加した顧客の感想や写真を公開します。
   リファラルプログラム:既存の顧客に新規顧客を紹介してもらうためのリファラルプログラムを実施します。

5. **特典と割引:**
   初回割引:メタバース内で初めて農園ツアーに参加するユーザーに対して割引を提供します。
   グループ割引:友達や家族と一緒に参加するユーザーに対して割引を設定します。

これらの戦略を組み合わせて、メタバース農園ツアーの知名度を高め、ユーザーの興味を引き付けることができるでしょう。

FIGURE
70 市場規模推定に必要な情報を洗い出す

👤 自分

メタバース農園ツアーの潜在的な市場規模を推定するために必要な情報は何ですか?

🟦 Copilot

✓回答を生成しています…

メタバース農園ツアーの潜在的な市場規模を推定するためには、以下の情報が必要です:

1. **現在のメタバース市場の規模**:これは、メタバース全体の市場規模を理解するための基礎となります。2023 年の国内メタバース市場規模は 2,851 億円と推計されており1,2027 年には 2 兆円を超えると予測されています 1。
2. **メタバース市場の成長率**:市場の成長傾向を把握することで、将来の市場規模を予測することができます。2022 年度の国内メタバース市場は前年度比173.6%であり 1、今後も成長が見込まれます。
3. **農園ツアーに関連するメタバースの利用状況**:農園ツアーという特定の用途に対するメタバースの利用状況やユーザーの関心度を調査することが重要です。
4. **ターゲットとなるユーザー層**:農園ツアーに興味を持つ可能性があるユーザー層のデモグラフィックデータを収集します。
5. **競合分析**:類似のサービスを提供している他のメタバースプラットフォームや農園ツアー事業者の市場動向を分析します。
6. **技術的な進歩**:メタバースの技術進歩が市場規模に与える影響を考慮に入れます。特に、XR 機器の普及や AI 技術の進化は重要な要素です 1。
7. **法的・規制的な要因**:メタバースにおける法的な制約や規制が市場規模に影響を与える可能性があるため、これらの要因を調査します。

これらの情報を基に、メタバース農園ツアーの市場規模を推定するためのモデルを構築し、潜在的な市場規模を予測することができます。市場調査や専門家の意見を取り入れることで、より正確な推定が可能になります。

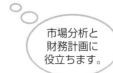

市場分析と
財務計画に
役立ちます。

業務分析、業務効率化のための仕組みを作る

業務の効率化は、ビジネスパーソンにとって常に重要な課題です。Copilotを活用することで、効果的な時間管理の仕組みを作り、生産性を向上できます。

1 時間の見える化でムダを削減

SNSやYouTubeなどのソーシャルメディアに費やす時間は、知らず知らずのうちに膨らんでいるものです。これらの「ムダな時間」を減らすには、まず自分の時間の使い方を可視化することが大切です。具体的には、メモ帳アプリなどを使って、何時から何時まで何をしていたかを詳細に書き留めていきます。1つひとつ手動で記録するのは面倒だと感じる人もいるでしょう。そんな人には、iPhoneの「**スクリーンタイム**」やAndroidの「**Digital Wellbeing**」のようなアプリ利用時間の可視化機能がおすすめです。

2 Copilotで時間の使い方を分析

記録したデータをCopilotに読み込ませ、表形式に整理してもらいましょう。膨大なデータもわかりやすい表にまとめてくれます。これにより、1日の時間の使い方が一目瞭然になります。

さらに、「プロジェクト関連」「休憩」「娯楽」などのタグを各タスクに設定します。Copilotに「『仕事』タグの付いたタスクの合計時間は？」と聞けば、瞬時に教えてくれます。

時間管理は、ビジネスパーソンに求められる重要なスキルです。限られた時間の中で成果を出すには、Copilotのような強力なツールを味方につけることが欠かせません。ぜひ、Copilotを活用して、

自分の時間管理術を磨いてください。ムダのない充実した働き方は、あなたのビジネスをさらなる高みへと導くはずです。

71 時間の記録をもとに表形式にまとめる

> 時間の使い方を見える化する。

👤 自分

次の内容は日々の時間の記録です。
分析のために「プロジェクト関連」「休憩」「娯楽」などのタグ付けをして表形式で整理をお願いします!

■2024 年 4 月 30 日（火）
・9:00-10:00 メールチェックと返信
・10:00-11:30 プロジェクト A の資料作成
・11:30-12:00 SNS の閲覧
・12:00-13:00 昼食
・13:00-14:00 部署ミーティング
・14:00-15:30 プロジェクト B の進捗確認
・15:30-16:00 コーヒーブレイク
・16:00-17:30 顧客提案書の作成
・17:30-18:00 YouTube の視聴

中略

🟢 Copilot

ご依頼の通り、日々の活動を「プロジェクト関連」「休憩」「娯楽」のタグで整理し、表形式でまとめました。以下がその表です：

■ 2024 年 4 月 30 日（火）

時間	活動	タグ
9:00-10:00	メールチェックと返信	プロジェクト関連
10:00-11:30	プロジェクト A の資料作成	プロジェクト関連
11:30-12:00	SNS の閲覧	娯楽
12:00-13:00	昼食	休憩
13:00-14:00	部署ミーティング	プロジェクト関連
14:00-15:30	プロジェクト B の進捗確認	プロジェクト関連
15:30-16:00	コーヒーブレイク	休憩
16:00-17:30	顧客提案書の作成	プロジェクト関連
17:30-18:00	YouTube の視聴	娯楽

中略

これで分析がしやすくなったかと思います。他にもお手伝いできることがあれば、お知らせください!

マーケティング活動に生かす

マーケティング活動においてCopilotを活用することで、業務の効率化に貢献します。

1 Copilot 活用によるマーケティング活動

マーケティング活動とは、企業が製品やサービスを消費者に提供するために行う一連の活動を指します。単なる販売促進だけでなく、市場調査から始まり、戦略立案、実行、効果測定、最適化まで、幅広い業務が含まれます。Copilot を活用した**マーケティング活動**は次のような業務支援が挙げられます。

ブログ記事の作成において、商品やサービスの主要な機能や利点の叩き台を Copilot に生成してもらうことで、記事作成時間を短縮できます。また、メールマーケティングの効率化として、商品の特徴やターゲット顧客の属性に合わせて、Copilot が件名や文章の叩き台を生成します。これにより、メール配信頻度の向上や開封率のアップを実現します。

2 Copilot でセミナー企画

本節では、マーケティング活動における潜在顧客獲得に向けたセミナーページ作成について、Copilot の活用事例を紹介します。セミナーのテーマや日時など、セミナー開催に必要な情報を Copilot に読み込ませることで、セミナーページの作成時間を大幅に短縮できます。Copilot の力を借りて、参加者に価値を提供するセミナーを積極的に企画していきましょう。

👤 自分

Copilot に関するセミナーを実施します。

次の内容をもとにセミナー集客に向けたランディングページの作成をお願い致します。

セミナー内容：Copilot の概要、導入のメリット、実際の活用事例、導入後の変化と成果、質疑応答
日時：2024 年 6 月 15 日 13:00～14:00
場所：オンライン
参加費：無料
対象：中小企業の経営者や社内 DX を担う方
登壇者：甲斐雄一郎（株式会社農情人 CEO）
申し込み方法：専用フォーム

🔷 Copilot

セミナーのランディングページのためのテキスト案をご提案いたします。以下の内容をご参考にしてください。

Copilot セミナーへのご招待

「未来のビジネスをリードする - Copilot と共に」

セミナー概要：Copilot は、最新の AI 技術を活用して、ビジネスプロセスを革新するツールです。このセミナーでは、Copilot の基本的な概要から、導入することで得られるメリット、実際の活用事例、導入後の変化と成果に至るまでを網羅的にご紹介します。また、セッションの最後には質疑応答の時間も設けておりますので、皆様の疑問や懸念に直接お答えします。

日時：2024 年 6 月 15 日 13:00～14:00
場所：オンライン（参加登録された方には、後日ウェブ会議の URL をお送りします）
参加費：無料
対象者：中小企業の経営者様、社内でデジタルトランスフォーメーション（DX）を推進されている方々
登壇者：甲斐雄一郎氏（株式会社農情人 CEO）
申し込み方法：以下の専用フォームよりお申し込みください。皆様のご参加を心よりお待ちしております。

このテキスト案は、セミナーの目的と内容を明確に伝えるために作成されています。ランディングページには、さらに参加者の興味を引くためのビジュアル要素や、申し込みフォームへの直接リンクを追加することをお勧めします。必要に応じて、内容を調整してご使用ください。セミナーの成功をお祈りしております!

セミナータイムライン

13:00 - 13:05
　開会の挨拶と参加者へのオリエンテーション
13:05 - 13:20　Copilot の概要
　・Copilot とは何か　・Copilot がもたらす新しい可能性
13:20 - 13:35　導入のメリット
　・効率化と生産性の向上　　　・利用事例を通じた理解
13:35 - 13:50　実際の活用事例と導入後の変化
　・他社の成功事例の紹介　　　・導入による具体的な成果
13:50 - 14:00　質疑応答
参加者からの質問に甲斐雄一郎が回答

> セミナー準備にかかる時間の削減を実現！

営業活動で活用する

営業活動は、提案活動から顧客対応、電話営業まで幅広い業務で構成されており、Copilotを活用することで効率化と質の向上を図れます。

1 Copilotによる営業活動支援

Copilotを活用した**営業活動支援**には、次のような内容が挙げられます。

・提案資料作成において、商品やサービスの特徴や利点を生成して提案の幅を広げ、質の高いプレゼンテーションに繋げる。
・顧客対応の標準化として、顧客からのよくある質問（FAQ）への回答を生成し、問い合わせ対応の仕組みを作る。結果、営業担当者ごとの回答のばらつきや属人化を防ぎ、一貫した顧客対応を実現できる。
・電話営業の台本作成として、顧客の業界や特性に合わせた最新動向を踏まえた電話営業用の台本を作成。営業担当者は電話の会話に困ることなく定期的なコミュニケーションを取れる。

2 Copilotで営業電話の台本作成

本節ではスーパーの青果バイヤーとの電話営業の会話ネタをCopilotに準備してもらいます。

●プロンプトの例

> ○○○との営業電話において、雑談からニーズをヒアリングしたいです。電話で話す際に、市場の最新の動向を交えて会話のネタを箇条書きで洗い出しをお願いします。

FIGURE
73 営業電話の台本を考えてもらう

業界の最新動向を
交えた会話例を
作ってくれます。

自分

X スーパーの青果バイヤーとの営業電話において、雑談からニーズをヒアリングしたいです。
電話で話す際に、青果市場の最新の動向を交えて会話のスクリプトのネタを箇条書きで洗い出しをお願いします。

Copilot

営業電話の会話スクリプトのネタとして、以下の青果市場の最新動向をご活用いただけます：

- 令和 4 年の野菜の卸売数量は前年比 5% 減少しましたが、卸売価額は 2% 増加しました。特にたまねぎやだいこんなどの数量が減少しています [1]。
- 果実の卸売数量も 5% 減少しましたが、価額は 1% 増加しています [1]。
- 青果部門の販売現場では、調達価格の上昇にどう対応するか、また生産量の減少にどう対応するかが重要な方向性となっています [2]。
- 輸入果実の価格は既に 15% 程度の入荷減となっており、従来の商売感覚では通用しなくなっている状況です [2]。

これらの情報をもとに、バイヤーの方の現在の課題やニーズについてお話を伺うことができるでしょう。例えば、価格上昇に対するお客様の反応や、品揃えの変更についてのご意見など、具体的な話題を提供することが可能です。また、これらの動向を踏まえた新しい提案をすることも有効かもしれません。電話での会話を通じて、お互いのビジネスにとってプラスとなる情報交換が行えると良いですね。

大量ページの論文を一瞬で要約する

ビジネスシーンでは、新規事業の立ち上げや業務改善などのために、大量の論文を読み込む必要がありますが、膨大な情報を短時間で処理するのは大変です。そこで、Copilotを活用して論文を瞬時に要約してみましょう。

1 Copilot に調査テーマを伝えて関連論文を探す

Copilotに調査したい分野やテーマを伝えると、関連性の高い論文を探し出してくれます。例えば、「新規事業としてブロックチェーン事業への参入を検討しています。参考となる論文を教えてください！」と指示すれば、その分野の重要な論文をいくつか提示してくれます。提示された論文の中から、特に興味のあるものを選び、論文の内容が記載されているページに行きましょう。

2 論文を要約してもらう

論文の内容が記載されているページを開いたら、Copilotの機能を使って**要約**してもらいます。Microsoft Edge の Copilot 機能を利用する場合、右上端の Copilot の呼び出しボタンをクリックして、チャット欄の「ページの概要を生成する」をクリックします。

すると、Copilotは論文の内容を瞬時に分析し、概要をまとめあげてくれます。

膨大な論文を読み解く作業は、Copilotに任せましょう。浮いた時間は、戦略を練ったり、アイデアを膨らませたり、創造的な仕事に活用しましょう。Copilotによる論文要約は、ビジネスの生産性を高める強力な方法の1つです。ぜひ活用してみてください。

74 ブロックチェーン事業への参入に向けて論文を探す

> 目的に合った論文を提示してくれます。

👤 自分

新規事業としてブロックチェーン事業への参入を検討しています。
参考となる論文を教えてください！

🟦 Copilot ブロックチェーン事業への参入を検討されているのですね。以下に、参考になるかもしれない論文をいくつかご紹介します。

1. 松尾真一郎氏による「イノベーションの視点で考える ブロックチェーンの普及に向けた課題」では、ブロックチェーン技術の正しい理解と今後の普及に向けた課題と解決の方向性について解説しています [1]。
2. 松田一敬氏の「ブロックチェーン関連ビジネスの海外実践〜日本発世界標準のブロックチェーンを目指す企業事例〜」では、ブロックチェーン技術の進化と海外での実践事例に焦点を当てています [2]。
3. 「社会を変えるブロックチェーン技術：1.ブロックチェーンの特徴と技術的な概要」では、ブロックチェーンの特徴や技術的な概要、応用可能性について論じています [3]。
4. 「ブロックチェーン技術が引き起こす人材領域における産業構造」では、ブロックチェーンが人材領域にもたらす影響について考察しています [4]。

これらの論文は、ブロックチェーン技術の基本から応用、さらにはビジネス展開に至るまでの幅広い情報を提供しており、新規事業の参入に際して有益な洞察を得ることができるでしょう。ご参考になれば幸いです。

75 気になる論文を要約してもらう

> 論文の要約もできます。

※チャット欄の「ページの概要を生成する」をクリック

自然言語でデータを分析する

データ分析はビジネスの意思決定に欠かせませんが、高度な専門スキルが必要とされてきました。しかし、Copilotを活用すれば、誰もが自然言語で対話するようにデータを分析できます。

1 プログラミング知識不要のデータ分析

　従来なら、エクセルでグラフを作成したり、関数を入力したりして、データを分析する必要がありました。しかし、Copilotを使えば、分析したいデータをコピー＆ペーストして、自然言語で質問するだけでデータを分析してくれます。例えば、売上データと共に分析したい内容を指示すれば、Copilotは即座にデータを分析し、回答してくれます。

　面倒な手順を踏まずに、必要な情報をすぐに得られるのは、ビジネスパーソンにとって大きなメリットと言えるでしょう。

2 組織全体でデータドリブンな意思決定が可能に

　Copilotによる自然言語でのデータ分析は、データ活用の民主化を促進します。データ分析の専門家だけでなく、現場の担当者や経営層も、直感的な問いかけでデータの潜在的な示唆を引き出せるようになるのです。

　これにより、組織のあらゆるレベルでデータに基づいた意思決定が日常的に行われるようになります。データドリブンな企業文化を醸成することは、競争力強化に繋がるでしょう。

　Copilotによる自然言語でのデータ分析は、小売業だけでなく、製造業、金融業、ヘルスケアなど、あらゆる業界で応用可能です。

蓄積された膨大なデータから、顧客の行動パターン、市場の需要予測、業務プロセスの効率化など、様々な示唆が得られるはずです。

　ビジネスパーソンにとって、Copilot を使って対話形式で手軽にデータ分析を行い、その分析の示唆を意思決定に反映させることが、ビジネス成功のカギとなります。Copilot は、データの民主化を通じて、ビジネスに変革をもたらす強力なツールです。

FIGURE **76** 売れ行きデータを分析する

> 自然言語で質問するだけでデータを分析してくれます。

👤 自分

スーパーにおける 2 週間分の農産物売れ行きデータです。
優秀なデータサイエンティストとして、各商品の売上の傾向を視覚的にわかりやすく分析をお願いします。

日付	商品	販売数	販売額	日付	商品	販売数	販売額
2024/6/1	りんご	120	12,000	2024/6/5	バナナ	105	5,250
2024/6/1	バナナ	98	4,900	2024/6/5	トマト	85	8,500
2024/6/1	トマト	75	7,500	2024/6/6	りんご	115	11,500
2024/6/2	りんご	105	10,500	2024/6/6	バナナ	100	5,000
2024/6/2	バナナ	102	5,100	2024/6/6	トマト	78	7,800
2024/6/2	トマト	82	8,200	2024/6/7	りんご	135	13,500
2024/6/3	りんご	130	13,000	2024/6/7	バナナ	110	5,500
2024/6/3	バナナ	95	4,750	2024/6/7	トマト	92	9,200
2024/6/3	トマト	88	8,800	2024/6/8	りんご	128	12,800
2024/6/4	りんご	110	11,000	2024/6/8	バナナ	102	5,100
2024/6/4	バナナ	90	4,500	2024/6/8	トマト	87	8,700
2024/6/4	トマト	80	8,000	2024/6/9	りんご	118	11,800
2024/6/5	りんご	125	12,500	2024/6/9	バナナ	98	4,900

〜〜〜〜〜〜〜〜〜〜 中略 〜〜〜〜〜〜〜〜〜〜

💫 Copilot

りんごの売上傾向

- **販売数：**平均販売数は約 120 個で、最小は 105 個、最大は 140 個です。
- **販売額：**平均販売額は約 ¥12,000 で、最小は ¥10,500、最大は ¥14,000 です。
- **傾向：**りんごの販売数と販売額は安定しており、特に週末に向けて増加する傾向が見られます。

〜〜〜〜〜〜〜〜〜〜 中略 〜〜〜〜〜〜〜〜〜〜

これらの分析から、りんごは安定した人気を保ちつつ、週末に売上が増加する傾向があります。バナナは安定した需要があるものの、販売額には多少の変動が見られます。トマトは日によって売れ行きに変動がありますが、全体的には安定しています。これらの情報をもとに、在庫管理やプロモーション戦略を立てる際の参考にしていただければと思います。

コードを自動生成する

> Copilotはコーディングにおいても強力な支援ツールです。
> Copilotのコード生成機能の特徴と活用方法について解説します。

1 コード生成機能

Copilotの**コード生成機能**を活用することで、開発者は効率的かつ迅速にコーディングを進められます。Copilotを活用したプログラミングには大きく2種類あります。1つ目は、手作業でコードを書いた後、Copilotに続きを書いてもらったり、バグを検知して修正してもらったりする方法です。2つ目は、必要な機能や要件を伝えてゼロからコードを作成してもらう方法です。

2 スケッチ画像でコード生成

本節では、**スケッチ画像**をもとにWebで表示するためのHTMLコードを丸ごと作ってもらう使い方を紹介します。手順は次の通りです。

①スケッチ画像を作成する。(図77)
② Copilotにスケッチ画像を読み込ませる。
③「スケッチ画像を基にHTMLコードを出力してください」のプロンプト文を入力する。(図78)
④出力したHTMLコードをテキストファイルに貼り付ける。
⑤テキストファイルの拡張子を「.html」で保存する。
⑥保存したファイルをブラウザで開く。(図79)

以上のように、Copilotのコード自動生成機能を活用することで、開発者は効率的にコーディングを進められます。

FIGURE 77　スケッチ画像を読み込み

FIGURE 78　HTMLコードを作成

> スケッチ画像を
> もとにWebで
> 表示するHTML
> コードを作成できます。

FIGURE 79　Webで表示

Column
続々と進む Copilot の企業導入

生成AIサービスは、業務の効率化や生産性向上に大きな可能性を秘めていますが、その導入状況には国によって大きな差が見られます。NRIセキュアが実施した「企業における情報セキュリティ実態調査2023」によると、生成AIサービスの導入率は、米国と豪州の企業が約7割であるのに対し、日本企業はわずか約2割にとどまっています。この結果は、生成AIサービスの活用に対する日本企業の慎重な姿勢を示唆しています。※1

しかし、一部の先進的な日本企業では、Microsoft Copilotの導入が進んでいます。例えば、Microsoftをはじめとするクラウドソリューションを提供する日本ビジネスシステムズ（以下、JBS）では、2023年8月から先駆けてCopilotの検証や勉強会を実施し、AI活用の定着を図ってきました。

そして、2024年3月にはITサービス業界で日本初となる「Copilot for Microsoft 365」の全社導入を実現し、議事録作成や契約書チェックなどの業務で大幅な時間短縮と品質向上を実現しています。※2

さらにJBSは、「生成AIコミュニティ支援」サービスをリリースしました。このサービスは、生成AIを実務に活かしきれないと悩む企業に向けた、ユーザー自走型のコミュニティ支援サービスです。

具体的には、企業の「Microsoft Teams」内のコミュニティで、ユーザー同士が有益な活用方法や成功体験を共有しながら、JBSがコミュニティ活性化や基礎トレーニングなどの支援をしていきます。※3

また、不動産関係のネットサービスを提供するネクサスエージェント
では、2024年2月に「Copilot for Microsoft 365」の全社導入を実現
しました。不動産業界では、物件情報の管理、契約書の作成、顧客とのコ
ミュニケーションなど、多岐にわたる業務が存在します。例えば、物件情
報の要約や比較、契約書の自動作成、顧客とのメールのやり取りの効率
化などが期待できます。[4]

　実は、Microsoft Build 2024 にて、企業が独自のCopilotを構築し
て、業務を大幅に効率化できる「Copilot Studio」の新機能が発表されま
した。[5]
　注目すべきは、Copilotが与えられた目的の達成に向けて自律的に働く
機能です。例えば、顧客対応の現場において、Copilotが顧客情報を学習
し、予約対応やクレーム処理、商品説明などをすべて自動で担い、顧客満
足度の向上と業務の効率化を実現します。また、新入社員を受け入れる
際は、Copilotが人事データを解析し、新入社員の教育プログラム作成や
課題の期限管理をサポートします。日本企業全体における生成AIサービ
スの導入率は低いものの、先進的な企業では着実に活用が進んでいま
す。これらの成功事例を参考に、より多くの企業がCopilotをはじめとす
る生成AIサービスを導入し、業務の効率化と生産性向上を実現していく
ことが期待されます。特に、Microsoft Build 2024で発表された
「Copilot Studio」の新機能は、企業が独自のCopilotを構築し、業務の
自動化を実現する大きな可能性を秘めています。生成AIの力を最大限に
活用し、ビジネスの革新を図る企業が増えていくことでしょう。

＊1　参考：https://www.nri-secure.co.jp/news/2024/0125　(2023年8月1日～2023年9
　　　月29日調査)
＊2　参考：https://www.jbs.co.jp/news/2024/0305
＊3　参考：https://prtimes.jp/main/html/rd/p/000000130.000051640.html
＊4　参考：https://nexus-agent.com/press/861
＊5　参考：https://microsoftcopilotstudio.microsoft.com/en-us/blog/microsoft-copilot-
　　　studio-building-copilots-with-agent-capabilities/

有料版 Copilot Pro のすすめ

Copilot Proは、月額3,200円で利用できる有料版です。Microsoft 365アプリとの連携、安定したパフォーマンス、オリジナルのCopilot作成など、無料版では実現できない高度な機能を提供しています。Copilot Proを活用してビジネスの生産性を高めていきましょう。

Copilot Pro の主な特長

月額3,200円で利用できるCopilot Proは、快適で利用できる、かつ、便利な機能を数多く備えています。ここでは、Copilot Proの主な特長を詳しく解説します。

1 安定した高速パフォーマンス

無料版のCopilotでは、ピーク時にサーバーへのアクセス制限や待ち時間が発生することがあります。しかし、有料版のCopilot Proを利用することで、ピーク時でも安定したパフォーマンスを発揮し、ストレスなく活用できます。重要な締め切り直前の作業でも、Copilotが速やかに対応してくれるため、時間に追われる心配がありません。

2 独自のカスタムAIを構築できる「Copilot GPT Builder」

Copilot Proの目玉機能の1つが、「**Copilot GPT Builder**」です。この機能を使えば、自社の製品マニュアルや過去のプロジェクト資料などのデータを学習させて、社内用語や特定の業界に精通した「Copilot GPT」を構築して、社内用に公開できます。また、構築した「Copilot GPT」を一般公開して共有することもできます。

Copilot Proは、安定した高速パフォーマンス、オリジナルCopilotの構築など、ビジネスの生産性を飛躍的に高める機能を提供します。無料版の枠を超えて、Copilotの力を最大限に活用したいなら、Copilot Proへのアップグレードは必須と言えます。ぜひ、無料版のCopilotに慣れたらCopilot Proの導入を検討してみるのはいかがでしょうか？

80 Copilot Pro の主な特長

●より速く回答を得る

最上級モデルに優先アクセスして迅速に回答を得たり、ユーザーそれぞれの
ニーズや関心に合わせた独自の Copilot GPT を構築したりできます。

●お気に入りの Microsoft 365アプリで Copilot を活用する

組み込みの Copilot 機能により、Word、Excel（プレビュー）、PowerPoint、
Outlook（Microsoft のメールアドレスが必要）をまったく新しい方法で体験
できます。

●創造性とデザイン性を最大限に高める

DALL-E 3で独自の画像をより速く生成し、Designer で1日あたり100回作成
できるブーストを利用して、作品をどんどん生み出せます。

81 構築した「Copilot GPT」の公開設定画面

Copilot GPT Builder
作成する　構成する

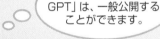

構築した「Copilot
GPT」は、一般公開する
ことができます。

🎨 **Copilot GPT Builder**
品質の高い Copilot GPT を作成するためのヒント:

・本質的にその機能と目的を説明する短くてキャッチーな名前をお試しください。
・明確で誤解のない言語を使用してください。専門的な頭字語、技術的な専門用語、
　過度に複雑な語彙の使用は避けてください。
・実行したい内容を Copilot GPT が正確に把握できるように、プロンプト (AI モデ
　ルを動かすための指示) を具体的かつ実用的にします。
　例、コンテクスト、または制約を提供して、その動作をガイドし、最適な出力を得
　ることができます。
・Copilot GPT のトレーニングと作成に使用するコンテンツ、アップロード、指示
　に関して必要な権利を取得していることを確認してください。
・お客様の想像を活用してお楽しみください。最初からうまく行かないかも知れま
　せんが、問題ありません。効果的で魅力的な Copilot GPT を作成するには、多
　少の調整と実験が必要です。

こんにちは。Copilot GPT を一緒に構築しましょう。Copilot GPT Builder は、
独自の機能を備えたカスタム Copilot GPT を作成、公開、共有するのに役立ちま
す。たとえば、画家、数学、またはフクロウじいさんとチャットして作成することが
できます。世界は開かれています！
ご質問がある場合はお聞かせください。チャットを続行することで、使用条件に同意し、
プライバシーに関する声明とコンテンツポリシーを確認したことを認めることになります。

CHAPTER 8-2 Copilot Pro への アップグレード方法

> ここでは、Copilot Proへのアップグレード手順とお得なテクニックを紹介します。

1 Copilot Pro を使ってみよう

個人ユーザーの場合は、月額3,200円で **Copilot Pro** を利用できます。

まず、Microsoft 公式サイトにアクセスし、「Copilot Pro を購入する」をクリックします。すると、Copilot Pro のサインインページが表示されます。ここで、Microsoft 365のサインインアドレスを入力します。もし Microsoft 365のアカウントを持っていない場合は、新規アカウントを作成する必要があります。

次に、支払方法を選択します。Copilot Pro では、PayPal またはクレジットカードによる支払いが可能です。希望の支払方法を選択し、必要な情報を入力します。支払い情報の入力が完了したら、サブスクリプションの購入手続きを進めます。

料金は自動的に引き落とされるため、手続き完了後すぐに Copilot Pro の機能を使い始めることができます。

2 アプリでお得に利用し始めよう

初めて Copilot Pro を利用する方は、無料試用キャンペーンの活用がおすすめです。Microsoft 公式サイトや Copilot のモバイルアプリ（iOS/Android）上から Copilot Pro に加入することで、1ヶ月間の無料トライアルを利用できます。（2024年5月時点）

まずは試しに1ヶ月間 Copilot Pro を使ってみて、無料版との違いを体感してみましょう。

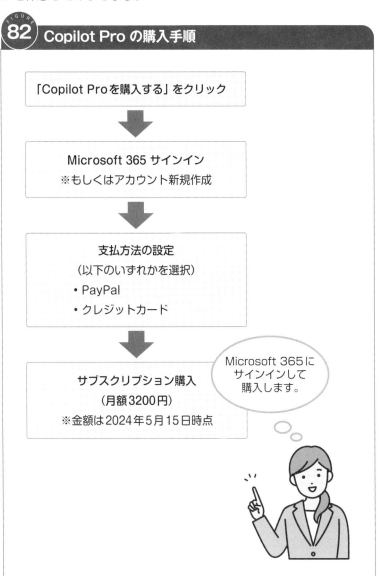

FIGURE
82 Copilot Pro の購入手順

「Copilot Proを購入する」をクリック

↓

Microsoft 365 サインイン
※もしくはアカウント新規作成

↓

支払方法の設定
(以下のいずれかを選択)
• PayPal
• クレジットカード

↓

サブスクリプション購入
(月額3200円)
※金額は2024年5月15日時点

Microsoft 365に
サインインして
購入します。

Microsoft 365との連携

Microsoft 365とCopilotの連携により、企業の生産性向上に大きく貢献します。ここでは、Copilot for Microsoft 365の概要を紹介します。

1 Copilot for Microsoft 365を使うには

Copilot for Microsoft 365は、Microsoft 365または Office 365の E3/E5ライセンス、あるいは Business Standard/Premium ライセンスを持つ企業向けに提供されており、これらのライセンスを導入済みの企業では、1ユーザー当たり月額4,946円（税込、年払い）で利用できます。*

Copilot for Microsoft 365の利用は非常にシンプルです。アプリのホームタブやアプリ画面左上のアイコンをクリックするだけで専用ウィンドウが立ち上がります。

例えば、Teams のチャットで Copilot を使う場合、チャット画面を開いて右上のアイコンを押すだけで利用開始できます。誰でも迷わず、ストレスなく Copilot を活用できるでしょう。

2 多様な Microsoft 365アプリとの連携

Copilot for Microsoft 365は、**Loop**、**Teams**、**OneNote**、**Forms** など、Microsoft 365の様々なアプリケーションと連携します。特に、2024年後半にプレビュー版として提供予定の新機能「**Team Copilot**」は、会議の進行役として多くの役割を果たします。この機能を使うと、Copilot が会議のアジェンダを準備し、タスクの

＊参考　https://www.microsoft.com/ja-jp/microsoft-365/business/copilot-for-microsoft-365（2024年5月時点）

割り当てや期限管理を行います。「Team Copilot」は、Microsoft 365の共同作業ツールであるTeams、Loop、Plannerなどで利用でき、チームの業務効率化をサポートします。

Copilot for Microsoft 365は、多様なMicrosoft 365アプリと連携し、企業の生産性を大きく向上させます。Microsoft 365ユーザーにとって、AIの力を業務に活かすための最適な手段といえます。Copilot for Microsoft 365で、ビジネスの変革を加速させましょう。

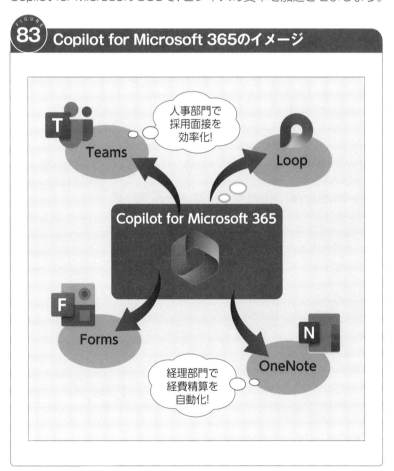

83 Copilot for Microsoft 365のイメージ

企画書の下準備
（ビジネスシーンでの活用事例①）

この節では、Copilot for Microsoft 365を活用した企画書作成に向けた下準備の活用事例を紹介します。

1 Word で企画書の構成を作成

　Copilot for Microsoft 365を活用することで、効率的に企画書を作成できます。例として、新商品「家庭用キノコ栽培キット」の販売戦略に関する企画書の作成を紹介します。

　まず、Word を開き、Copilot に「マーケターとして『家庭用キノコ栽培キット』の販売戦略についての企画書の構成を作成してください」とプロンプトを与えます。Copilot が提案した構成を確認し、必要に応じて修正や追加します。*

2 Outlook で上司への承認メールを作成

　次に、Outlook を使って、作成した企画書の構成を上司に承認してもらうためのメールを作成します。新しいメールを作成し、宛先を上司のメールアドレスに設定します。件名は「新商品『家庭用キノコ栽培キット』の販売戦略企画書の構成案」とします。メール本文では、Word で作成した企画書の構成を説明します。Copilot に「商品企画部の部長である上司宛に、新商品『家庭用キノコ栽培キット』の販売戦略企画書の構成案の承認を求めるメールを作成してください」とプロンプトを与え、メール文を生成してもらいます。生成されたメール文を確認し、必要に応じて修正を加えてから送信して、上司からの返信でフィードバックや承認を得ましょう。

＊参考　https://1drv.ms/w/s!Ah1xuU810MumlFkPrrrKO508Vp70?e=XokTVS

FIGURE 84

Word で構成を下書き

企画書の作成も
できます！

FIGURE 85

Outlook でメールを下書き

メールの文面も
作成できます！

企画書の作成
(ビジネスシーンでの活用事例②)

この節では、Copilot for Microsoft 365を活用してプレゼンテーション用の企画書作成の具体事例を紹介します。

1 Excelで市場規模データを整理

企画書の「市場分析」に必要な定量的な情報を収集します。例えば『家庭用キノコ栽培キット』の販売戦略の場合、ガーデニング市場全体の年次データを成長率と共にまとめます。Copilotにより生成されたデータをExcelで可視化することで、企画書の説得力が増します。

2 PowerPointでの企画書のプレゼンテーション作成

次に、これまでにWordで作成した企画書の構成や、Excelでまとめた市場規模データを活用し、**PowerPoint**で**プレゼンテーション資料**を作成します。新しいプレゼンテーションを作成し、Copilotに「『家庭用キノコ栽培キット』の販売戦略企画書のプレゼンテーションの作成をお願いします」とプロンプトを与えます。Wordで作成した構成をもとに、各スライドの内容をCopilotに生成してもらいます。生成されたスライドを確認し、デザインやレイアウトを調整したり、スライドの順序を入れ替えたりしていきます。完成したPowerPointファイルを保存し、上司や関係者に共有します。

以上が、Copilot for Microsoft 365を活用した新商品の販売戦略企画書作成の一連の流れです。Word、Excel、PowerPointなどのMicrosoft 365アプリとCopilotを組み合わせることで、データに基づいた説得力のある企画書を効率的に作成できます。

86 Excel で市場規模を表形式にまとめる

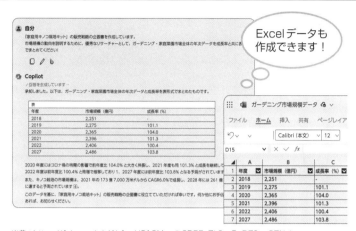

出典：https://1drv.ms/x/s!Ah1xuU810Mumlh6D5Eo7k9ycFwDZ?e=87Nakp

87 PowerPoint で企画書を作成

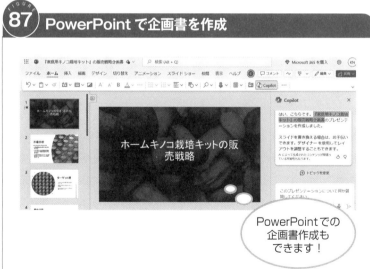

出典：https://1drv.ms/p/s!Ah1xuU810MumlGRggjwSsh_eX2t9?e=XxNLRH

セキュリティとプライバシーの確保

生成AIを企業で活用する上で、セキュリティとプライバシーの確保は重要な課題です。Copilotは、機密情報や個人情報の保護のようなデータの安全性確保に真摯に取り組んでいます。

1 データの安全性確保への取り組み

Copilotは、ユーザー情報の保護にあたり、データの暗号化など適切な技術的・組織的対策を講じています。また、商用データ保護の観点から、基礎モデルへの使用制限や広告のターゲティング制限を設けています。セッション終了後は、プロンプトと応答が破棄されるため、情報が残ることはありません。

2 データ収集と利用の透明性

Copilotは、データの収集と使用方法について透明性を確保し、機能と制限を明確に開示しています。ユーザーは自身の個人情報と会話履歴にアクセスし、管理・削除できます。これにより、ユーザーは自分の情報をコントロールできます。

Microsoftは、AI製品の設計から展開までのすべての段階で**セキュリティ**と**プライバシー**を考慮しています。データの安全性を保つための技術的・組織的対策を講じるとともに、ユーザーがAI製品を利用する際にリアルタイムで情報を提供し、透明性を高めているのです。

以上のように、Copilotは情報源の透明性とプライバシー保護において優れた取り組みを続けています。AIアシスタントを活用する上で、信頼性は欠かせません。Copilotはその信頼に応えるべく、

セキュリティとプライバシーを最優先に考え、透明性の高いサービスを提供しているのです。利便性と安全性を両立させたCopilotは、ビジネスシーンでの頼れるパートナーとなるはずです。

88 セキュリティとプライバシー

出典：https://blog.admindroid.com/microsoft-365-copilot-privacy-and-security-impact-on-user-data/

Column

AIエージェントと共創する未来の働き方とは

AIエージェントとは細かな指示が不要な次世代の生成AIツールです。LLMの飛躍的な進化により、AIエージェントは多岐にわたる分野で活躍できる能力を獲得しつつあります。

このAIエージェントの登場により、ビジネス環境は大きく変化する可能性を秘めています。

AIエージェントが普及した未来では、ビジネスの効率性と生産性が飛躍的に向上すると期待されています。例えば、市場調査、翻訳、プログラミングなど、これまで人間が行ってきたルーティンワークなどの業務をAIエージェントが代替することで、私たち人間は戦略立案やクリエイティブな発想に集中できるようになります。また、AIエージェントが24時間365日稼働することで、グローバルなビジネス展開やリアルタイムの顧客対応が可能になります。[*]

Microsoft 365に組み込まれたCopilotは、将来的にはAIエージェントとして、あなたの業務の大部分を自動化し、仕事の効率を飛躍的に高める可能性を秘めています。例えば、営業担当者がCopilotに指示すると、Copilotは自律的に動き出し、Outlookを使ってクライアントとの面談日程を調整し、PowerPointで提案用の企画書を作成し、Wordで会議のアジェンダを準備します。そして、会議当日にはTeamsでオンライン面談を実施し、会議の議事録を自動的に書き起こし、要約をクライアントに自動送付します。その結果、営業担当者はクライアントとの関係性強化に向けて "人間ならでは" の業務に注力できるようになります。このように、AIエージェントは人間の業務を幅広くサポートし、生産性の向上に大きく貢献することが期待されています。

また、2024年5月にMicrosoftが開催したイベント「Microsoft

---

[*]参考　https://gen-ai-media.guga.or.jp/glossary/ai-agent/

Build 2024」では、AIエージェントの進化を感じさせる衝撃的なデモが披露されました。このデモでは、「Minecraft」のゲーム内で、Copilotがまるで人間のプレイヤーのように振る舞う様子が紹介されました。驚くべき点は、Copilotがゲームプレイ中に一時停止することなく、リアルタイムでゲームの状況を把握し、あたかも隣で一緒にゲームを楽しむ友人のように自然な会話を通じてサポートしている点です。

このデモは、AIエージェントの可能性が広がりつつあることを示す、象徴的な出来事だと言えます。

一方で、AIエージェントがもたらす社会的・経済的な影響は計り知れません。失業率の上昇や所得格差の拡大といった負の側面も懸念されており、適切な対策が求められています。加えて、AIエージェントの意思決定プロセスの透明性や説明責任、個人情報の保護、セキュリティ対策など、法的・倫理的な問題にも対処する必要があります。

現時点では、AIエージェントに関する法整備は不十分な状態ですが、技術の進歩に合わせて徐々に整備されていくことが期待されます。ただし、性急な規制強化はイノベーションを阻害する可能性があるため、慎重なバランス調整が求められます。AIエージェントの力を最大限に引き出しつつ、人間の尊厳や倫理観を守るための指針づくりが喫緊の課題となっています。

AIエージェントの可能性を最大限に引き出しつつ、人間らしさを失わない、バランスの取れた未来を築くことが、私たち1人ひとりに求められているのです。

おわりに

生成AIの急速な進化は、ビジネスの在り方を根本から変えようとしています。CopilotやChatGPTに代表される生成AIは、単なるツールではなく、ビジネスパーソンの新しいパートナーとして、私たちの働き方やコミュニケーションの在り方を大きく変革しつつあります。

生成AIを活用することで、ルーティンワークの自動化や効率化が図れるだけでなく、新たな価値の創造や課題解決の可能性が広がります。アイデア出しや企画立案、文書作成、データ分析など、様々な場面でAIと人間が協働することで、これまでにない視点やソリューションが生み出されるでしょう。生成AIは、人間の創造性を拡張し、イノベーションを加速させる力を持っているのです。

しかし、生成AIの活用にはリスクや課題も伴います。プライバシーや倫理的な問題、AIの判断の透明性や説明責任など、技術の発展に伴って新たな課題が浮上しています。生成AIを適切に活用するためには、技術的な理解だけでなく、倫理的な判断力や責任感を持つことが求められます。AIと人間が共生する社会を実現するには、技術と倫理のバランスを保ちながら、生成AIの可能性を追求していく必要があります。

MicrosoftとOpenAIが描くwith-AI時代の未来は、AIと人間が協調し、互いの長所を活かし合える世界です。人間は、AIの力を借りて、より高度な判断や意思決定をして、新たな価値を生み出していきます。一方で、AIは人間の創造性や感性、倫理観を学び、より賢明で責任あるパートナーへと進化していくでしょう。

　ビジネスパーソンには、この大きな変革の波に乗り、生成AIの力を活用してイノベーションを起こすチャレンジ精神が求められています。同時に、生成AIの特性を理解し、適切に活用するための知識とスキルを身につける必要があります。生成AIをはじめとするAIに関わる知識やスキルを身につけて、倫理的な判断力を養うことが、with-AI時代を勝ち抜くカギとなります。

　生成AIがもたらす変革の波は、脅威ではなく、大きなチャンスです。ビジネスパーソン1人ひとりが、生成AIの可能性に挑戦し、新たな価値を創造していく。そのような取り組みを通じて、AIと人間が協調する新しい社会が実現されていくのだと私は信じています。Copilotに代表される生成AIの進化は、まさにその第一歩なのです。

甲斐雄一郎

　ご感想、お問い合わせは公式サイトよりご連絡いただけますと幸いです。

監修者のことば

『図解ポケット 最新生成AIで時間短縮！ Copilotがよくわかる本』をお読みいただきありがとうございました。本書を通して、Copilotをはじめとする生成AIが、少しずつ身近に感じられるようになってきたのではないかと思います。

一部で2023年は生成AI元年と言われていました。2024年となった現在はいかがでしょうか？ 生成AIに全く触れていない人も未だ多い一方、試行錯誤しながら生成AIを業務に活用し、圧倒的な効率化を実現している人も増えています。

つまり、生成AIを活用する人としない人の間に格差が広がっていると言えます。これはスマホやPCを使える人と使えない人の間に生じた「デジタルデバイド」と同じようなものです。「生成AIデバイド」が広がっているのです。

「AIが人の仕事を奪う！」などと言われて久しいですが、実際のところ、AIに仕事を奪われるのではなく、「AIを上手に使う人」に仕事を奪われるのです。

お忙しい中こんな文章を読んでいるあなたは、すでにAIをある程度は上手に使える人、あるいはこれからAIを上手に使えるようになりたい人だと思います。

生成AIを上手に使うと、本業のお仕事だけでなく、副業を効率化することもできます。そんな背景もあり、X（旧Twitter）を見ると、「生成AIを使って〇〇万円稼ぐ方法」といった情報が溢れかえっています。役に立つ情報もあるでしょうが、信憑性の薄い情報もあるように感じます。

有象無象の情報が多い中で何か確実なものはないかと思い、私自身も事業における生成AIの活用法を考え、実践してきました。その結果、初心者の方でも取り組みやすい手法を確立することができました。こちらは私自身、毎月10万円程度の収入を生むことができた方法となっています。もしご興味あれば、詳細を以下のQRコードからご覧ください。

　本書を手に取ったあなたは、本当に勉強熱心な方だと思います。ダラダラしたりゲームしたりするという選択肢もある中、お金を払って学ぶのはとても素晴らしいです。しかし、本を読んだだけで知った気になるのはもったいないです。基礎知識を得た後は、実践あるのみです。

　簡単なことからでいいので、生成AIをぜひ活用してみてください。生成AIを上手に使いこなし、仕事もプライベートも充実させていきましょう！

松村雄太

　ご感想、お問い合わせはLINEまたはメールでいただけますと幸いです。

●公式LINE

 （ご感想・お問い合わせをお待ちしております！）

（あるいは ID: @927wtjwr より）

●メールアドレス　aiwant0227@gmail.com

あ行

●暗号化

情報を読み取れないように変換し、許可された人だけが元の情報を復元できるようにする技術。暗号化により、情報の機密性を保護し、不正アクセスや盗聴から守ることができる。

か行

●画像生成AI

入力されたテキストから画像を出力できるAI。

●画像認識

写真やイラストなどの画像が何を表現しているかを判断し、あらかじめ学習した方法で分類する技術のこと。

●機械学習

コンピュータが大量のデータから自動的にルールや特徴を学習する技術。人間が明示的にプログラムを書かなくても、データに潜むパターンを見つけ出し、予測や判断に繋げる。画像認識や自然言語処理など幅広い分野で活用されている。

●クラウド

インターネットを通じて、サーバやストレージ、アプリケーションなどのコンピュータリソースをオンデマンドで利用できるサービス。代表的なクラウドサービスにはMicrosoft Azure、Amazon Web Services（AWS）、Google Cloud Platformなどがある。

●言語モデル

AIの中でも自然言語を扱うことに特化したモデルのこと。文章を生成したり、入力された文章から意味を読み取ったりできる。

さ行

●自然言語

人間が普段会話をしたり、文章を読み書きしたりするときに利用している日常的な言語のこと。

●商用データ保護

企業が保有する顧客情報や取引データなどの機密情報を保護するための対策。不正アクセスや情報漏洩を防ぐため、アクセス制御、暗号化、監視、バックアップなどの対策を組み合わせて実施する。法規制の遵守やブランドイメージの維持にも不可欠である。

●ゼロショット学習

事前に学習したデータにない新しいタスクや概念を、追加の学習なしに対応できる機械学習の手法。少ない例やデータのみから、関連する知識を活用して未知の問題に対処できる。汎用性が高く、少ないデータでも効果的に学習できるため、様々な分野での応用が期待されている。

た行

●データサイエンティスト

データの収集、分析、活用を通じて、ビジネスの意思決定や問題解決を支援する専門家。統計学、機械学習、プログラミングなどの知識を持ち、データから

価値ある知見を引き出す。ビッグデータ時代の到来とともに、需要が高まっている職種の1つ。

●トークン

自然言語処理において、文章を単語や句、文字などの意味のある最小単位に分割したもの。トークン化（トークナイズ）と呼ばれる前処理の過程で生成され、機械学習モデルへの入力データとして用いられる。トークンの種類や粒度によって、モデルの性能が左右される。

な行

●ニューラルネットワーク

脳の神経細胞（ニューロン）の繋がりを模倣した機械学習アルゴリズム。入力層、隠れ層、出力層からなる層状の構造を持ち、各層のニューロンが複雑に結合している。データを入力すると、ニューロン間の結合の強さ（重み）を調整しながら、目的の出力を得るように学習する。

は行

●ハイパーパラメータ

機械学習アルゴリズムの学習プロセスを制御するパラメータ。学習率、バッチサイズ、正則化項の係数など、モデルの性能に大きな影響を与える。最適なハイパーパラメータを探索することで、モデルの精度や汎化性能を向上させることができる。

●パラメータ

機械学習モデルの内部で調整される変数。ニューラルネットワークの重みやバイアスなど、データからパターンを抽出するために最適化される。パラメータ

が多いほどモデルの表現力は高くなるが、過学習のリスクもある。

●ハルシネーション

生成AIが学習データにない情報を生成してしまうこと。現実にはありえない、もしくは事実と異なる内容を出力してしまう現象。モデルの過学習や学習データの偏りが原因とされ、生成結果の信頼性を損なう可能性がある。

●ファインチューニング

事前学習済みのAIモデルを特定のタスクや domainに適応させるための追加学習。大規模なモデルを基に、少量のタスク固有のデータで学習することで、高い性能を発揮できる。転移学習の一種で、学習時間の短縮やデータ効率の向上が期待できる。

●ブラウザ

Webページを閲覧するためのソフトウェア。URLを入力することでWebサーバからHTMLデータを取得し、解釈して画面に表示する。Microsoft EdgeやGoogle Chromeなどが代表的。

●プロンプト

生成AIに入力する情報のこと。AIに実行して欲しい指示に加え、その前提となる情報や理由、例などの補足も含めることがある。

●プロンプトエンジニアリング

Copilotなどの生成AIを正しく活用するためのプロンプトのこと。指示を明確にしたり、例を与えたり、簡潔な表現を使うことなどを心がける必要がある。

ま行
●マルチモーダル

複数の種類（モーダル）の情報を入力できる生成AIモデル。文章だけでなく、写真、動画などを入力し、その組み合わせによって様々な処理ができる。

●メタバース

現実世界とデジタル空間を融合した、没入感のある3次元の仮想空間。VRやARなどの技術を活用し、現実のように感じられるインタラクティブな体験を提供する。社会的な繋がりや経済活動が行われる新たなプラットフォームとして注目を集めている。

や行
●ユニバーサルデザイン

年齢、性別、身体的能力などに関わらず、誰もが使いやすいように製品や環境をデザインする考え方。アクセシビリティの向上を目指し、バリアフリーや使いやすさに配慮したデザインが求められる。AIシステムの開発においても、公平性や説明可能性の観点から重要視されている。

ら行
●ライセンス

知的財産権の権利者が他者に対して、その権利の使用を許諾すること。ソフトウェアライセンスでは、使用条件や範囲、料金などが定められる。オープンソースライセンスとプロプライエタリライセンスに大別される。

●レッドチームテスト

サイバー攻撃の脅威を評価するために、擬似的な攻撃者の立場で行うセキュリティテスト。システムの脆弱性を洗い出し、侵入経路や被害範囲を特定することで、防御策の改善に繋げる。ブルーチーム（防御側）との対抗戦を通じて、セキュリティ対策の実効性を検証する。

英語（A-Z）
●AGI

Artificial General Intelligenceの略。人間のような汎用的な知能を持つAI。特定の領域に限定されず、あらゆる知的タスクを柔軟に遂行できる。現時点では実現されておらず、今後の研究課題とされている。

●AI

Artificial Intelligenceの略で、人工知能のこと。自ら学習することで思考や認識、判断といった人間的な行動を実現できるコンピュータプログラム。

●AI倫理

人工知能の開発と利用において、倫理的な問題を考慮し、責任ある行動をとるための原則。公平性、説明可能性、透明性、プライバシー保護など、AIがもたらす影響に配慮する。技術の健全な発展と社会的な信頼の構築に不可欠な概念。

●AIエージェント

自律的に動作し、ユーザーの代わりにタスクを実行するAIプログラム。ユーザーの指示や環境の変化に応じて適切

な行動を選択し、目的の達成を支援する。仮想アシスタントやチャットボットなど、様々な形態で実装されている。

●AIガバナンス

AIの開発と利用に関する方針や体制を整備し、適切に管理・監督すること。倫理的な配慮や法的な責任、リスク管理などの観点から、AIの社会的な影響をコントロールする。企業や政府が、AIの信頼性と安全性を確保するための取り組み。

●ANI

Artificial Narrow Intelligenceの略。特定の領域やタスクに特化した、現在主流のAI。画像認識、音声認識、自然言語処理など、限定された範囲で高い性能を発揮する。応用範囲は限られるが、実用化が進んでいる。

●API

Application Programming Interfaceの略。ソフトウェアの機能や データを、他のプログラムから利用できるようにするための仕組み。明確に定義されたインターフェースを介して、異なるシステム間の連携を実現する。Web APIではHTTPプロトコルを用いて、データの送受信を行う。

●Azure

Microsoftが提供するクラウドコンピューティングプラットフォーム。仮想マシン、ストレージ、データベース、機械学習など、様々なサービスを提供する。オンデマンドでリソースを利用でき、柔軟にスケーリングできることが特徴。

●Azure Active Directory

Microsoftのクラウドベースのアイデンティティ管理サービス。ユーザーアカウントの認証や認可、シングルサインオンなどの機能を提供する。Microsoft 365やAzureのリソースへのアクセス制御に使用され、セキュリティと利便性を両立する。

●Bing

Microsoftが提供している検索サービス名。通常のWeb検索に加えて、言語モデルGPTを搭載した対話型AIサービス「Copilot」を提供している。

●Copilot

Microsoftが提供する生成AIサービスの名称。大規模言語モデル（LLM）を利用したAIによって、コンピュータの様々な操作を支援する機能。

●Copilot+PC

高性能なAI処理能力を備えたMicrosoftの新たなPCカテゴリー。クラウドではなくローカルのPC上でAIを動作可能。過去の画面を記憶し検索できる「Recall」機能など、生産性を向上させる機能を多数搭載。

●Copilot Studio

独自のCopilotを構築することにより、業務を自動化できるMicrosoftのローコードツール。自然言語処理や機械学習を活用し、対話や文脈理解、タスクの自律的な実行が可能で、業務効率化に役立つ。

用語解説

●DALL-E

OpenAIが開発した画像生成AIモデル。豊富な要素やスタイルなどを自然言語で入力することで画像を出力できる。2023年には最新のDALL-E 3がリリースされた。

●GPT

Generative Pre-Trained Transformerの略。OpenAIが開発した大規模自然言語モデルのシリーズ名。ランダムなテキストデータを事前学習モデルとして事前学習した自然言語生成モデルのこと。GPT-3からGPT-3.5、GPT-4へとバージョンを重ねて飛躍的な進化を遂げている。

●GPU

Graphics Processing Unitの略。本来はコンピュータグラフィックスの処理に特化した演算装置。並列計算に優れ、機械学習のような大規模な数値計算に適している。NVIDIAやAMDなどが代表的なGPUメーカーである。

●GUI

Graphical User Interfaceの略。コンピュータの操作をグラフィカルな画面上のアイコンやメニューを通して行うための仕組み。マウスやタッチスクリーンを使って直感的に操作できるため、ユーザーフレンドリーである。GUIの登場により、コンピュータが一般ユーザーにも身近なものとなった。

●Image Creator

テキストから画像を生成できるMicrosoftの生成AIサービス。画像の要素やタッチなどを自然言語で入力することで、イメージに沿った画像を生成してくれる。

●KPI

Key Performance Indicatorの略。事業の目標達成に向けた進捗状況を測定するための重要な指標。売上高、利益率、顧客満足度など、ビジネスの成功に不可欠な要素に焦点を当てる。

●LLM

Large Language Modelsの略。膨大なテキストデータを学習した、自然言語処理のための大規模なAIモデル。文脈を理解し、人間のような自然な文章を生成したり、質問に答えたりできる。

●Microsoft Edge

Microsoftが提供するWebページを表示するためのアプリ。Windowsの標準ブラウザとして設定されている。Copilotの機能が組み込まれており、インターネット検索を超えたWebブラウザである。

●Microsoft Graph

Microsoft社が提供する、統合されたAPIエンドポイントのこと。Microsoft 365、Windows、Enterpriseなど、様々なMicrosoftサービスのデータや機能にアクセスできる。アプリケーション開発者がMicrosoftのエコシステムを活用するための強力なツールとなっている。

●NPU

Neural Processing Unitの略。ニューラルネットワークの処理に特化した演算装置。機械学習のワークロードを高速かつ効率的に実行できる。GPUと比べて

さらに専門特化しており、エッジデバイスでのAI推論などに用いられる。

● NVIDIA

GPUの開発と製造で世界をリードする企業。ゲーミングだけでなく、AI、データセンター、自動運転など幅広い分野でGPUを提供している。CUDAと呼ばれる並列コンピューティングプラットフォームを開発し、GPUコンピューティングを牽引している。

● OS

Operating Systemの略。コンピュータのハードウェアとソフトウェアを管理し、アプリケーションの実行環境を提供するシステムソフトウェア。代表的なOSにはWindows、macOS、Linuxなどがある。OSの役割は資源の効率的な管理と、ユーザーとコンピュータのインターフェースの提供である。

● Python

コンピューターブログラミング言語の一種。Webアプリケーション開発などでも使われるが、データ分析や機械学習の分野で人気がある。

● RPA

Robotic Process Automationの略。ソフトウェアロボットを使って、定型的なコンピュータ作業を自動化する技術。データ入力、ファイル操作、アプリケーション間の連携などを、人間の操作を模倣して実行する。業務効率の向上と人的エラーの削減に寄与し、働き方改革の1つとして注目されている。

● TOPS

Tera Operations Per Secondの略。コンピュータの演算性能を表す指標の1つ。1秒間に実行できる浮動小数点演算の数を兆（テラ）単位で表す。スーパーコンピュータやAI専用チップの性能比較によく用いられる。

● UX

User Experienceの略。ユーザーがサービスや製品を利用する際の総合的な体験。使いやすさ、デザイン、パフォーマンスなど、ユーザーの満足度に影響するあらゆる要素を含む。優れたUXの提供は、ビジネスの成功と競争力の源泉である。

用語解説

索引

索引

●著者紹介

甲斐雄一郎（かい・ゆういちろう）

1988年滋賀県生まれ。横浜国立大学工学部卒。マンチェスター大学院国際開発学部修士。興和株式会社、アクセンチュア、日本農業での勤務を経て、株式会社農情人を起業。「農業×情報×人財」をキーワードにコンサルタントとして活動。2022年、Metagri研究所を立ち上げ、「NFT」「DAO」などを農業と掛け合わせ、"持続可能な農業"を目指す活動をする。主な著書『シンNFT戦略 最強のアイディア図鑑』（宝島社）。

●監修者紹介

松村雄太（まつむら・ゆうた）

Alwant株式会社 代表。早稲田大学 招聘研究員。生成AIについて学び、ビジネスに活用する勉強会「生成AIの学校」を主宰。早稲田大学商学部卒。外資系IT企業等での勤務を経て、社会人向け学習コミュニティの運営、生成AIを活用したコンテンツの作成・販売、SNSマーケティング支援などを行っている。主な著書『NFTがよくわかる本』など多数。

図解ポケット

最新生成AIで時間短縮！
Copilotがよくわかる本

| 発行日 | 2024年 6月27日 | 第1版第1刷 |

著　者　甲斐　雄一郎
監　修　松村　雄太

発行者　斉藤　和邦
発行所　株式会社　秀和システム
　　　　〒135-0016
　　　　東京都江東区東陽2-4-2　新宮ビル2F
　　　　Tel 03-6264-3105（販売）Fax 03-6264-3094
印刷所　三松堂印刷株式会社　　　　Printed in Japan

ISBN978-4-7980-7265-4 C0055